科学と人生

角川文庫
23071

科学と人生

目次

科学と人生

——若い人々のために——

一　科学はなんのために学ぶか

太平洋戦争のあと、日本では科学による国家の再建という言葉がよく使われ、科学教育および科学の普及が大いに奨励された。もっとも戦争前および戦時中にも、同じようなことがよくいわれた。現代の文明は、物質文明のみでなく広い意味で科学に基礎を置いているか、あるいは科学の影響を強くこうむっている。それで、日本が現代の世界の中に、一人前の文明国として仲間入りをするには、日本人は誰でも、一応の科学の知識をもっていなければならない。

日本人は誰でもといっても、いろいろな職業の人があって、中には、科学などと全く縁のないように見える生活を一生送る人もたくさんある。それで、こういうふうに考える人もあるかもしれない。すなわち、大きくなって科学の研究者や先生になる人、工業関係の技術者または職工、あるいは大都市でいわゆる文化生活をする人などには、科学も大いに必要であろうが、いなかで農業や漁業、あるいは小さい商売などをやる人には、科学などあまり役に立ちそうもないという考え方である。しかし、こういう考え方は非常なまちがいである。それは科学というものが、どういう役割を果たすものであるかを知らないことからくる誤解である。

科学を学ぶと、得るところが二つある。一つは科学上のいろいろな知識を得られることであり、もう一つは科学的なものの考え方ができるようになる点である。この後者のほうが非常に大切なのであって、このほうはどんな職業についている人、どんな階級の人にも、大いに役立つものである。

二　科学とはどんなものか

日本ではこれまで、科学というとすぐ原子爆弾とか、レーダーとか、ジェット飛行機とかいうものを考え、そういうものを科学の代表であるかのように思う人が多かった。もちろん、それらは現代の科学が産んだものであり、しかも偉大な産物である。しかし、そういうものが科学の全部ではない。

科学、詳しく言えば自然科学であるが、それは自然界の中に存在している法則と、ものの本体とを知る学問である。自然界にはいろいろなものがあり、それらは絶えず変化している。たとえば天気を一つみても、風が吹いたり、雨が降ったり、そうかと思うと、一天雲一つない青空になったりする。また雨でぬれた木に日が当ると、白い湯気が立ったり、地上に積っていた雪が、春になるとなくなったりする。

ものの本体を知るというのは、場合によっては雪にもなり、雨にもなり、また湯気にもなるものは、その本体は水というただ一種類のものであることを知ることである。もっとも、本体というのは、人間の知識が進めば、さらに深くはいっていくものである。水は酸素と水素という二つの元素からなっているというのが第二段、酸素はまた原子核と電子とからできているというのが第三段、さらに原子核は、いろいろな素粒子から成り立っているというふうに、ものの奥深いところに隠されているその本体をきわめていくのが、自然科学の一つの仕事である。

ところで、これらのものは始終変化しているが、その変化は決してでたらめではなく、その間に決った法則がある。雨が降るには、雨の降る理由があり、雪になるには、雪になるわけがある。それを法則があるという。この法則をみつけることが、科学のもう一つの大切な任務で、法則を知れば、次にはどういうことが起るかを予言することができる。

自然界にある法則で一番はっきりしているのは、天体の運行である。春夏秋冬、一日の夜昼は、ちゃんと決った法則に支配されている。これがニュートンの万有引力の法則であって、この法則を知れば、日食や月食を一秒の何分の一という精密さで予知することができるのである。現代の科学は天文学の方面から発達してきたのであるが、その理由は、天体の運行にみられる法則が、一番はっきりしていて、また、簡単であるためである。

地震の予知は、現在のところまだできない。それは、地震の発生を支配している法則が、非常に複雑なためである。しかし、もう少し科学が発達すればできるはずのものである。地震の予知ができれば、被害は著しく減少する。少くとも、半分以下になるのであろう。それで自然界の法則を知ることは、人間の生活にとって大切なことである。科学というものは、一口に言えば、自然界にある法則とものの本体とを知る学問である。われわれはこの自然界に住んでいるのであるから、その法則や本体を知ることは、われわれの生活に非常に役立つことである。

三　科学的なものの見方

ものの本体を見、またその間にある法則を知るというが、それはもちろん、人間が見たり知ったりすることである。人間の頭のはたらきには、好ききらいとか、美しいとかきたないとかということを感じるはたらきもあれば、また、こういうことをしては悪いとか、よいとかいうことも考える。しかし、水が高い所から低いほうへ流れたり、太陽が毎朝東から出たりすることは、好ききらいとか、よい悪いとかには関係のないことである。人間がなんと思っても、人間とは関係なくそういう法則があるのであって、一方、人間にはまた、そういう法則を知る頭のはたらきがある。自然科学は、自然界にあるものの本体と法則とを知る学問であるから、科学の範囲では、すべてのものの見方を、この知るということだけに集中する。

ここに人間のふんがあったとする。それは確かにきたないものであり、また、人目につく所にそんなものを置くのは悪いことである。しかし、ふんを分析して、消化吸収されないで残っている栄養分が、どれだけあるかを調べている人には、それは自然界にある一つの「もの」である。その人にとっても、もちろんふんはきたないものであるが、しかし科学の対象としてはきたないもきれいもなく、ただ一つの「もの」があるだけである。だから科学の世界には、きたないものはない。

こういうふうに、人間の愛情とか道徳観とかいうものから離れて、ものとか法則とかをそのままの形で知ろうとすることが、広い意味での科学的なものの見方である。

この広い意味での科学的なものの見方が、今までわれわれには欠けていたようである。ふだんはあまり目立たないが、戦争などになると、この弱点が表に出てくる。太平洋戦争中にも、竹やりをかついで防空演習などをやっていたが、B29は三千メートルの高度を飛んでいるのに、竹やりは十メートルもない。竹やりは三千メートルの高さまでは届かないということを知るのが科学なのである。なんとしても戦争に勝ちたいということと、勝てるかどうかということとは、別問題である。希望や感情を離れて、ことがらだけをまっすぐに考えるのが科学的な考え方である。

希望や感情のはいった議論は、その人の気持が強くはいっているので、とかくまちがったことになりやすい。科学的なものの見方では、ことがらの本筋だけをみるのであるから、まちがえば、ほかの人にすぐわかる。それで互《たがい》に話し合ってみれば、大きいまちがいに陥《おちい》る危険は少ない。

われわれの生活には、つまらないちょっとした感情の行きがかりなどで、いろいろなことがひっかかることがよくある。そういうときに、ちょっと科学的な見方をして、ことがらの本筋だけをみる癖をつけると、ずっと住みよい国になるであろう。

四　考えの進め方

科学的なものの考え方は、感情を離れるというのが第一歩であるが、それだけではもちろんだめである。その考えを進めて、ものの本体や自然界の法則をきわめるには、考えの進め方を知らなければならない。

まず第一に必要なことは、ものをよく見ることである。だれにも目があって、いつでもものを見ているようであるが、多くの人は案外によくものを見ていないものである。鯛《たい》はどういう色をしているかと聞くと、たいていの人は赤いという。絵にかいたえびす様が持っている鯛はたしかに赤いが、ほんとうの鯛は紫色に近い色で決して赤くない。生きているときは、それがさらに緑色がかっているが、それは見る機会がめったにないとして、さかな屋の店頭にあるものでも決して赤くはない。ただ、鯛は赤いという昔からの考えで、赤いと思っているだけである。自然界に実際にあるもの、実際に起っている現象は、決して本に書いてあるような簡単なものではない。

自然科学の教科書などに書いてあることは、所により場合によっていろいろ変っていることがらの中から、共通した要素を引き抜いて、一般の性質について説明してある。それでないと教科書はむやみと厚くなるだけで、役に立たない。しかし、科学をほんとうに役に立てようと思ったら、自分の周囲に実際にあるものについて、自分で目を開いてよく見て、それについて考えを進めていかなければならない。

考えを進めるには、疑問をもつことが第一歩である。自分の目でものを見て、なにかふにおちないことがあったら、「はてな」と思うことが非常に大切なのである。「変だな」とか、「おかしいな」とか思うことのできる人は、科学者の素質をもっている人である。それの感じられない人は、科学には縁のない人で、美しいものを見ても美しいと感じられない人が、芸術に縁がないのと同じことである。しかしよくものを見る訓練さえしておけば、なにかふにおちないことがあったとき、「はてな」と感じられない人はめったにない。

問題は「はてな」と感じたときに、それだけに終らせるかどうかという点にある。そのときに「どうしてだろう」と思うのは、考えが一歩進んだのである。もっとも「どうしてだろう」と思っても、思っただけではそれでおしまいである。次に進むには、それについて考えてみなければならない。非常に簡単なことがらならば、今までもっている知識で説明がつく。しかしたいていの問題は、なかなかそうはいかない。そのときは疑問とする点について、なにかちょっとやってみるべきである。

土を掘りおこしているうちにスコップが妙に重くなったら、草をひとつかみちぎって、スコップにこびりついている土をこすり取ってみる。すると次には軽くなる。それなら土がこびりつかないようにしたら、仕事がらくになるはずである。夜家へ帰ったら、さびをこすり取ってなにか油をひいておく。すると、翌日はスコップがたいへん軽くなる。そういう場合ならば、スコップの重くなるのは、その表面に土がこびりつくからだということがわかる。

この疑問とする点について、なにかちょっとやってみるということが実験である。実験をしてみるということが、自然科学の一番大きい特徴であって、研究所や大学には実験室がたくさんあって、いろいろな設備がしてある。しかしそれは、本質的にはスコップをみがいて油を塗ってみるのと同じことをするところである。すなわち「どうしてだろう」という疑問をもって、「ちょっとやってみる」ところなのである。

なにか疑問が起きたら、それを実験でためしてみる。そして「ああそうだったのか」とわかったら、「それでは」と次の疑問を出す。というのは、実験をしてみてわかったといっても、決して全部がわかることはないからである。自然というものは、人間の能力などからみたら、底知れないほど複雑なもので、どんなうまい実験をしてみても、全部わかるということはない。もし全部がわかったと思うことがあったら、考え直してみなければならない。そうしたら、新しい疑問が必ず出てくる。

ここで大切なことは、「ああそうだったか」と思うことと、続いて「それでは」と考えることである。すなわち、自分が納得することと、次の段階に考えを進めること、この二つが大切である。それではじめて考えが進むのである。

疑問をもつこと、考えてみること、実験をしてみること、自分が納得すること、次の疑問を出すこと。この順序で進むことが、科学的な考えを進めることなのである。こういうやり方は、科学の研究者にとって大切な心得であるばかりでなく、どういう職業についている人にも役に立つことである。

五　実験

科学の特徴の一つは、実験が可能である点にあるというと、なんだか実験というものが非常にむずかしくて、科学の専門家だけにしかできないことのように思われるかもしれない。しかし実験にはいろいろな種類があるので、何千万円もする機械を使わねばできない実験もあるが、はし一本でできる実験もある。要するにどうしてだろうと思うことを、ちょっとやってみるのが実験である。このような実験は、日常生活にも必要で、まただれにもできることである。

戦争中に日本の寒い地方で、冬になると飛行場の滑走路がこわれて困ったことがあった。たいていの土は、凍るともち上がってくる性質があって、滑走路でも舗装道路でもすぐこわれてしまうのである。鉄道でも線路がもち上がってくるので、その対策に非常な苦心をしていた。これは凍上またはしみ上がりという現象で、日本ばかりでなく、アラスカやカナダ、またシベリアなどでも大きい問題であった、これは地中に霜柱ができるために起る現象で、霜柱がよく石をもち上げているのを見ることがあるが、あれが大仕掛けに起るのが凍上である。それで凍上を防止するためには、霜柱の本体を知ることが第一歩である。

日本では、この霜柱の研究がずっと以前にできていたので、凍上の研究が割に早く進んだのである。ところで非常におもしろいことには、その霜柱の研究は、東京のある女学校（今の中学校）でそこの生徒たちがやったのである。以下に話すことは皆さんと同じ年ごろの女生徒たちがやった研究なのである。

この生徒たちは、自分たちの学校の校庭に、冬になると、毎朝美しい霜柱が立つことを、非常に不思議に感じたのである。きのうの夕方帰るときには、土がどろどろになっていただけなのに、けさ学校へ来てみると、一面に氷の細い柱が立っている。いったいこの霜柱の氷をつくる水は、どこからきたのだろうというのが、最初の疑問であった。

それで考えてみたのであるが、けっきょく水はどこからかきたに違いないので、その水は大気中からくるか、土の中の水がしみ上がってくるか、いずれかに違いない。それでさっそく実験をしてみた。それは前の晩短い霜柱が地上にできかけたころに、その頭に墨を塗っておいたのである。大気中から水分がくるのなら、墨を塗ったところはそのまま地上に近いところにあって、上が白くなるはずである。地中の水がしみ上がってくるものならば、黒いところがもち上がり、下に白い氷ができて葱《ねぎ》のようになるであろう。翌朝行ってみたら、葱のようになっていた。それで霜柱は、地中の水がしみ上がって凍ってできるものであることがわかった。

ところがこの実験だけでは、ほんとうに土の下のほうから水がしみ上がってきて、凍って空中に伸び出るのかどうかは、少し不安である。少くとも、どれくらいの深さにある水までが、しみ上がるのかというようなことはわからない。それで、第二の実験をしてみた。それは、いろいろな深さのかんづめのあきかんを拾ってきて、それに土を詰めて、地中に埋めておいてみたのである。

ところが翌朝行ってみると、浅いかんには短い霜柱しか立っていなくて、かんが深いほど霜柱が長かった。しかしある程度以上深くなると、それ以上は霜柱の長さは一定であった。これでわかったことは、第2図（b）でhの深さまでの水が一晩のうちにしみ上って、霜柱となって空中へ伸び出ることである。

　この二つの実験で、土の中の水がしみ上ってきて、氷になって空中に伸び出るのが、霜柱であることがわかった。ところがこのことは、非常に不思議な結論に導かれるのである。

　というわけは、たとえば霜柱のできるときに気温が(-)七度であったとして、土の中

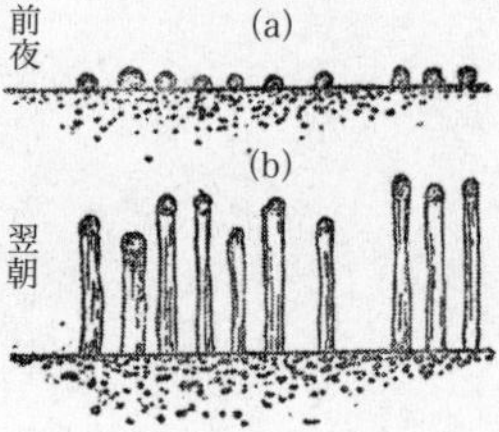

第1図

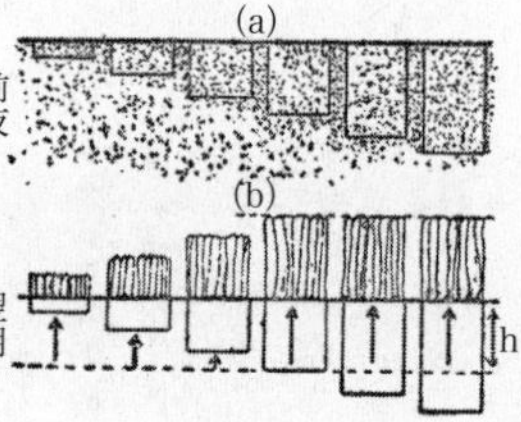

第2図

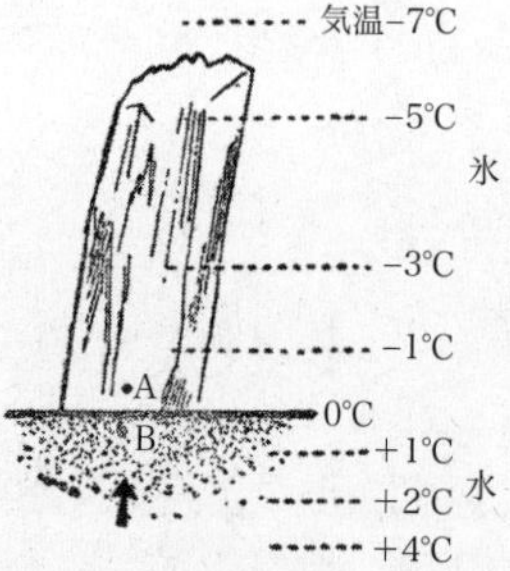

第3図

は凍っていないので、下のほうは(+)四度くらいとする。ところで土の中を水がしみ上る以上、土は凍っていないので、霜柱の根もとの真下B点は、零度かそれ以上でなくてはならない。霜柱のほうからみると、地上に近いほど温度が高いはずであるが、氷である以上、霜柱の根もとの真上A点は、零度かそれ以下であるはずである。真上、真下というのは紙一枚の差で、要するにこの両者が成り立つためには、霜柱の根もとは常に零度であることが必要になってくる。

それで「霜柱は地中の水がしみ上がって氷になったものである」という実験の結果は、どんな寒い日でも、また風があってもなくても、いつでも霜柱の根もとは、零度に保たれるということを示すことになる。

ちょっと聞くと不思議な結論のようであるが、事実もまたそのとおりで、できたての霜柱を取ってみると、軽く土から離れ、底はいつでもぬれている。これはほんとうはあたりまえの話で、水と氷とがともに存在する温度が零度なのである。気温が低いときには成長が速く、零度に近いときはおそいだけの違いで、霜柱の根もとが常に零度であることには変りがない。霜柱が立っているときは、土の表面が常に零度に保たれるので土は凍らない。

天候のいかんにかかわらず、なぜ零度に保たれるかというと、土の中を通って下から熱が伝わり、また、水が霜柱の根もとで凍るときに潜熱を出す。この熱は霜柱を通って、そとの寒い大気中へ逃げる。そのつり合いが保たれているうちは、いつでも根もとが零度という条件で、霜柱が成長する。寒いときは多量の熱が大気中に逃げるので、根もとでたくさんの潜熱を出しうる。すなわち氷がたくさんできるので、霜柱は速く成長する。しかし、根もとが零度ということは変らない。

しかしこの考えの裏には、土の中を通って必要量の水がどんどん供給されるということが条件としてはいっている。もしほんとうにそうならば、うんと寒いときには、みるみるうちに霜柱が一メートルも二メートルも伸びるはずである。しかしそういうことがないのは、地下からの水の供給がまにあわないからである。水の供給が不足すると、氷になる分量も減り、したがってそのとき出す潜熱も少くなる。一方そとは寒いので熱はどんどん逃げる。そうすると霜柱の根もとは、もはや零度には保たれなくなる。すなわち零度以下になるので、土の表面は凍る。そして零度のところは、土の表面から少し下になる。その零度のところで前に述べたような条件が保たれると、そこでまた霜柱が伸びる。こういうときは、霜柱の中に土のまざったものができる。北海道のような寒い地方では、この零度のところが地下へどんどんはいっていく。そして気温の変化によって、途中である期間零度に止まると、そこで地下の霜柱ができる。

そういう凍った土を掘ってみると、水平に何枚も氷の板ができているが、それは地下の霜柱なのである。地下にそういうよぶんの氷ができるので、それだけ土はもち上がり、いわゆる凍上が起るのである。

それで凍上の防止には、地下で霜柱ができないようにすればよい。すなわち霜柱がどうしてできるかということがわかれば、できないようにする方法もわかるわけで、霜柱の研究が完成すれば、アラスカ・カナダ・シベリア各地で、現在大いに困っている凍上の問題も、解決されることになる。

以上の話は、水の方面からだけ考えたのであるが、霜柱ができるかどうかは、土の性質にもよる。できる土とできない土とがあって、たとえば砂地には霜柱は立たない。それで土を深くまで掘って、砂と入れ代えれば、凍上は起らなくなる。しかし、それには金と労力が非常にかかるので、なにかもう少し別の方法を考えねばならない。それには霜柱のできる法則を、もっと深く研究する必要がある。

しかし一応のところは、前に述べた東京の女学校の生徒たちの研究で、霜柱の本体は第一段のところまでがわかった。それだけでも充分役に立つ研究である。ところで、この研究を押し進めるための実験に使われた機械は、筆一本とかんづめのあきかん数個とであった。それから知識としても、水と氷とがともに存在する温度が零度であることと、水が凍ると潜熱を出すということ、すなわち、中学校ですでに習った程度の知識である。中学程度の知識とかんづめのあきかんとでも、りっぱな研究はできるのであって、この場合一番大きな役割をつとめたのは、考えの進め方が科学的であったことと、必要なところで必要な実験をしてみたこととである。科学の実験には、高価なりっぱな機械を必要とする場合もあるが、すぐ手近な所にあるつまらないものでも、りっぱな実験ができることもある。科学を職業とする人たちの場合は、仕事が専門的に分化しているので、詳しい測定が必要であり、高価な機械のいることが多い。しかし一般の人が、自分の職業や生活に科学を採り入れる場合には、手近にあるものでちょっとやってみて、その結果について考えてみるだけで、充分役に立つことがたくさんある。篤農家とか、上手な大工とかいわれる人のやり方をよく見ると、案外に科学的なやり方をしている人が多い。中学校の教科書で習った程度の科学知識をよく頭に入れて、そういう人たちが長年の経験から得た科学的な考え方を参考にして、自分でものごとをよく考えて、順序をたてて考えを進めていけば、だれでも科学を自分の生活に役立たせることができる。

六　科学による国の再建は可能か

今までの話よりももっと広い立場からみることにしよう。戦後、科学によって国家の再建をしようとよくいわれたが、いったい、科学が進歩したらこの日本の国が再建されるであろうか。再建という意味は、再び強大な軍備をもって、他国を侵略して物資を持ってくるという意味ではない。現在の日本の国で現在の数の日本人が安楽に生きていけるという意味である。

それにはなんといっても、日本の国から生産されるもので、日本人が生きていくことを考えねばならない。もっともこれは広い意味であって、貿易を入れての話である。戦前でもだいぶ前から、すなわち昭和のはじめごろから、日本の本土では食糧が足りなくて、主として朝鮮と台湾とから毎年約一二〇〇万石の米を輸入していた。食糧に次ぐ大切な資源である木材は、サガレン（樺太《からふと》）に依存するところが非常に多かった。そういうものを、急に現在の日本の国内だけの増産によってまかなうことはできない。それで輸入しなければならないのであるが、輸入にはそれに相当するだけの物資を輸出する必要がある。千円札を富士山ほど積んでも、外国からはなにも買えない。買えるとしても、紙としてのねうちだけにしか通用しない。それで輸入するものも、国内で生産したものが形を変えただけである。結局われわれは、この国土の中で生産されるものだけにたよらなければならない。もっともこの生産の中には、農産・林産・水産・鉱物資源など、直接にこの国土から生産されるもののほかに、原料を外国から輸入して製品を輸出し、その手間賃として製品の一部を取ることも一つの生産として含まれている。

いずれにしても、それらの生産をあげるためには、国の中にそれだけの資源がなくてはならない。科学の力によっても、無から有を生むことはできない。それで問題は、それだけの資源があるか否《いな》かに帰する。ところで従来の考え方では、日本は資源に乏しい国ということになっていた。近代文明の基礎をなす鉄も石炭も足りない。石油にいたっては、必要量の十分の一も自国では生産しない。鉄以外のいろいろな金属も、銅と亜鉛ぐらいがかろうじてまにあう程度で、あとのものは著しく足りない。食糧も足りないし、木材資源も年々に食いつぶされている。まことに悲観的な見通しであった。そして、結局この本土だけでは、人口をまかないきれないというので大陸に進出し、その結果が今度の戦争になり、そして今日のような状態になってしまったわけである。

しかし、日本の国は資源に乏しいという考えは、明らかにまちがっている。日本は決して資源に乏しい国ではない。水資源にしても、水産資源にしても、森林資源にしても、世界各国の平均からみたらかえって多いくらいである。

日本の国が水に恵まれていることは、今日ではすでに常識になっている。水産も世界三大漁場の一つを近くにもっている。森林資源は世界的にも乏しいもので、日本ぐらいあったら、大いに恵まれていると思わねばならない。あまり恵まれすぎているので、毎年二億石以上の木材を燃料としているというような、世界でも類例のないぜいたくをしている。

地下資源も、実は案外に多いのである。ただ外国で発達した精錬法で、経済的に取れるような鉱石が少いので、さしあたっては、資源がないのと同じ結果になっているだけのことである。

資源としては、ものの資源と同様に、エネルギーの資源も大切である。水力電気や石炭などがなかったら、ものの資源からものを取り出すことができない。ところが、このエネルギー資源のうちの一番大切なもの、すなわち水力電気は、水資源としてはまだまだたくさん未開発のままで残されている。調査済みの未開発水力だけでも一三〇〇万キロワットあり、現在開発済みの電力の二倍以上ある。日本に降る雨と雪とを全部といわなくても半分利用すると、さらにその二倍以上もあるという調査もなされている。今わかっている一三〇〇万キロワットの電力開発をしただけでも、日本の工業は飛躍的に発達する。それで、日本の資源を開発しさえすれば、外国に迷惑をかけないで、自力で国家の再建は可能であるといって決してまちがいではない。ただ、その開発にはいろいろな困難があるので、それを解決するには、科学の力をかりなければならない点が非常に多い。別のことばで言えば、科学の進歩によって再建は可能なのである。

七　科学は資源を産み出す

地下資源というものは、掘ればそれだけなくなるものと一般に考えられている。そのとおりであるが、実際には地下資源の生産量が、年々に増している場合のほうが多い。金のようなものが一番わかりやすい。地下にある金などはきわめて限られたもので、どんどん掘ればまもなくなくなってしまうように思われるであろう。しかし、日本の産金額を歴史的にみると、次の表のとおりである。

これを見ると、金は掘れば掘るほどたくさん出てくるような形にみえる。しかしこれは何も不思議な話ではなく、地下資源の埋蔵量のほうが、人間の採掘能力などと比べてけた違いに多いので、掘れば掘るほどたくさん出てくるのである。ただ、あまりひどい貧鉱になると、精錬のための費用が製品の値段よりも高くつくので、経済的に成り立たない。それを、資源がないと言っているのである。それで、新しい精錬法が発見されれば、ないと思っていた資源が、実は案外にあったことになりうる。それで、科学によって資源を産み出すことができるのである。

そのわかりやすい例として、日本の鉄のことを考えてみよう。日本は鉄鉱石が著しく不足しているので、大半輸入していることは前にいったとおりである。しかし、この鉄鉱石というのは、熔鉱炉《ようこうろ》に入れて簡単に製鉄できるもの、すなわち、酸化鉄の鉱石という意味である。それが非常に少いことを、鉄鉱石が少いというのであって、鉄のはいった鉱石が日本にないというのではない。

鉄のはいった鉱石としては、硫黄《いおう》と化合した硫化鉄鉱というものがある。これならば日本には非常に豊富にあるので、スペインと並んで世界の第一位になっている。昭和十

第一表　日本の産金額

年　度	年産(トン)
明治時代41年間平均	1.5
大正時代14年間平均	7.4
昭和時代 9年間平均	22.9
昭和　　10年	28.5
昭和　　11年	34.2
昭和　　12年	40.9
戦争初期（昭和17年度）	約60.0

三年には年間二一二万トンを生産して、世界の全生産高の二十パーセントを占めたこともある。埋蔵量は一億数千万トン以上といわれ、いわゆる鉄鉱石、すなわち酸化鉄鉱の埋蔵量約六〇〇万トンに比べて、けた違いに多い。それで、硫化鉄鉱を製鉄原料として使うことができれば、日本は一躍して鉄の大生産国になれるはずである。

硫化鉄鉱を燃やすと硫黄がとれるので、従来の日本ではこれを硫黄の原料としていた。硫黄は硫酸の原料で、ほかにも用途が広く、世界的にみても不足している貴重な元素である。これで、硫黄をとることはそれでよいのであるが、その残り、すなわち焼鉱は五十〜六十パーセントの鉄を含んでいる。これは現在、高い値段を払って輸入している優良な鉄鉱石と、ほとんど似た品位である。その焼鉱を今までは大部分捨てていたので、利用といっても埋め立てに使うくらいのことであった。もっとも、製鉄所でも原料として少しは使っていたが、その量は全産出額の二十パーセントぐらいで、八十パーセントは現在でも捨てているのである。

そういうおかしいことをなぜするかというと、その焼鉱には銅がかなり含まれているからである。銅は製鉄には禁物であって、これが少量でもはいると、鉄やはがねの性質が非常に悪くなり、ひびができやすくなる。それで、この焼鉱をある程度以上混ぜると、他の鉄鉱までだめになってしまうのである。製鉄の際に銅を除去することは従来不可能とされていたので、この大切な資源の大部分は、むなしく捨てられていたわけである。

それで、少し極端に言えば、製鉄・製鋼の際に銅を除去することができないということを、今まで日本には鉄資源がないといっていたのである。この分離ができるようになれば、銅も大切な元素であるから、鉄・硫黄・銅という大切なものばかりの化合物に、豊富に恵まれていることになる。すなわち、科学によって資源が産み出されるのである。

こういう例はほかにいくらもあるので、東北地方に多いいわゆる黒鉱などもその一つである。これは、金・銀・銅・鉛・亜鉛などの貴重金属と、硫化鉄とのまざったものである。これも分離がむずかしいので、比較的銅分の多いものを銅の鉱石とし、鉛分に富むものを鉛鉱として、わずかに使っているだけである。銅鉱石として精錬する場合には、硫黄は大部分廃ガスとして空中に逃げ、煙害問題を起す。福が災となるのである。科学の力によって、この精錬法の改良ができれば、大切ないろいろの金属の資源が豊富に産まれてくることになる。

砂鉄の場合も同じことである。日本の砂鉄は、東北地方の海岸だけでも数千万トン、あるいは一億トン以上の埋蔵量といわれている。鉄分は三十六パーセント程度で、品位は低いが採掘は容易である。これも、チタンやバナジウムという珍しい元素がはいっているので、製鉄原料としては不適当とされているが、チタンもバナジウムも、ジェット機のエンジンや、その他特殊の金属材料を造るのに必要な元素である。それで砂鉄を鉄ばかりでなく、それらの元素の鉱石と考えれば非常に大切な資源であり、それには日本は大いに恵まれているのである。

日本で一番乏しいとされている金属資源でも、このように考えてみると、資源そのものに乏しいのではなく、それを資源化する科学が乏しいということになる。水資源・水産資源・森林資源など、恵まれている資源について、科学の力でさらにその開発を進めれば、いっそうわれわれの生活を豊かにすることができるであろう。

名医の話

むかしあるところに名医がいた。その名医は大変偉い人であった。

ある年の春、その名医は天文気象を按《あん》じて、今年の秋には大層悪い病気が流行《はや》ることを知った。その疾病にかかると必ず死ぬ、そしてそれをのがれるには、春のうちに大変高価《たか》いある神薬をのんでおかねばならないと言い出した。

名医がその話を町の人にしたら、ある人たちは、生命にはかえられないと思って、たくさんの銭を出して、その薬を買ってのんだ。そのうちには無理算段をしてやっと薬を買った人もあった。

秋になってみたら、はたして悪い流行病がやって来た。しかし春のうちにその薬をのんだ人たちは、もちろんその疾病にかからず、皆元気でいた。もっとも流行病のことであるから、身体のひどく丈夫な人はかからないので、薬をのまずに元気で通した人も相当あった。

それで薬をのんだ人たちは、こういう人々のことをきいて、自分もあのなんだか得体のしれない薬をのまなくても、丈夫でいられたかもしれないと思い出した。そう思ってみると、なんだかたくさんの銭を出して、高価い薬をのまされたのが、馬鹿馬鹿しく思われ出した。それで名医名医といっても案外まやかしもので、だましてああいう高価い薬を売りつけたのかもしれないと、誰もその名医に感謝する人はなく、かえって怨《うら》む人もあった。

ところが、その薬をのまなかった人たちのうちで、死んだ人もたくさんあった。そういう人の遺族たちは、名医のところへやって来て、皆が次のようなことを言った。

「人の生命にかかわることじゃありませんか。私たちは天文のことが分らないので、あの時は貴方《あなた》の言われることに従いませんでした。しかし貴方はうちの親爺《おやじ》が死ぬことが分っていながら、なぜもっと強くすすめて、無理にでもあの薬をのませてはくれなかったのですか」

そこでその名医は嘆いて曰《いわ》く「名医たるまた難きかな」と。

この話はもちろん作り話である。薬をのむとのまないとは、正反対のことであるから、一方から怨まれたら、反対の方から喜ばれそうなものである。それだのに両方から怨まれるというのは変である。特にその名医は大変偉い人で、本当のことを教えたのに、そういう結果になるというのは、そもそもこの話が嘘であるからであろう。

こういうふうに言ってしまえば、それまでのことである。しかしこの話をすると、たいていの人はにやりと笑う。そのにやりの中にはかなりの肯定がふくまれている場合が多いようである。それだとしたら、それは何かこの馬鹿げた話の中に、幾分本当のことが潜んでいるからであろう。そうなると、この話の内容を少し吟味してみる必要が出てくる。

第一、この名医が本当の名医であったか否《いな》かということが問題である。もしその人が本当の名医でなくて、すなわち出まかせを言ったか、あるいは当てずっぽうにいい加減の薬をのませたのだとしたら、話の初めから変えてしまう必要がある。

まず秋に悪い流行病がはやるというのは、実際にはやったのであるから、その点では、半分は合格である。もっとも秋口になって赤痢《せきり》やチフスの流行をみるのは、少くも三十年前までの日本の田舎では毎年のことであったし、春先から少し気候の不順だった年にその大流行を予想することは、何もたいした名医をわずらわすまでもない話ともいえる。しかし何か例年とは質的に異った悪疫が流行したとすれば、その予言の意味は重要になってきて、すなわち半分は名医の資格は十分あることになる。昔の人はのんきだったから、その悪疫が質的に異っていたか否かということは何も言っていない。それで話を生かすために、それは質的に異った流行病だったということにしておく。ここでは質的という言葉をわざと使ったのであるが、本当は同じ性質の流行病でも量的に特に著しく多かったら、それも質的にことなるという中に含めるのである。量的に特に著しいというが、その著しさは何できめるかと言うと、それはその年までの統計からきめるより仕方がないであろう。

悪疫流行の予知はできたとして、問題は高価い神薬なるものをのんだのが効いたかどうかという点である。本当は前半だけで充分名医たる資格はあるのであるが、病人にとってみれば、後者の方が切実な問題である。こうしてみると、結局問題は「薬が効く」ということがどういう意味かという、きわめて平凡な、しかしちょっと困難らしい問題に落ちついたわけである。医学者のあいだでは、薬が効くということのちゃんとした定義があるのかもしれないが、一般の人にはあまりよくその意味が分っていないようである。私などはよく病気をして、いろいろ効く薬をのんだわけであるが、効くということの意味はまだよく知らないで、平気で治って丈夫になっているところをみると、そういうことはあまりよく知らなくてもよいのであろう。

素人《しろうと》考えでやかましく言えば、本来ある薬がほんとうに効いたか否かということは分らないはずである。同一の人が同時にある薬をのんだ場合とのまなかった場合とを実験して比較してみることは原理的にできないことである。それで特に著しい場合を除いて、各人の体質とか健康状態とかの差異には無頓着《むとんちゃく》に、だいたい同じ症状を呈する病人の多数例について、ある薬を与え、そのうちの大多数が治った場合に、その薬が効いたというのであろう。そうすると、それは統計的の意味しかもたないものになる。

もっともこの場合治るという言葉の意味が実は曖昧《あいまい》なのである。ある種の特効薬のように、確かに病原菌を殺す作用の分っているものは、はっきりと効くといってもよいはずである。しかしある特効薬をのませたら、病気は治ったが、そのため病人は死んだという場合に、その薬が効いたとはいわないということにきめておくと、どんな立派な特効薬でも、その効力はやはり統計的の意味しかもたないことになる。

もっともこういう場合も考えておく必要がある。それはある薬をのませたら、なかなか下らなくて困っていた熱が下った。それを止めると、また熱が上る。そういうことを数回繰り返してみて、いつもその薬をのんだときだけ熱が下るとしたら、それは効いたことにして差支えない。しかしこの場合もよく考えてみると、結局大勢の人にためしてみるかわりに、一人の人を何度も実験材料として使ったことになる。それでこのときも、やはり統計的の意味がはいってくるのである。

前の話の神薬の効能も、こういうふうに、統計的に見れば、それをのんだ人は死ななくて、のまなかった人の中には、死んだ人が相当たくさんあったのであるから、確かに効いたのである。それで名医はたしかに名医であったので、それが両方から怨まれたのは、誠に気の毒な次第であったことになる。

しかしその名医が怨まれたことは事実である。そういう事実があった以上、それには何かわけがあるのであろう。その理由は実は簡単に分るのであって、すべての問題は、事件をいま一度旧《もと》に戻して、やり直すことができないというところから発しているのである。特にその神薬をのまなくて死んでしまった人の場合が分りやすいのであるが、その人がいま一度生き返って、今度は前に懲《こ》りて、神妙に薬をのんで丈夫でいたら、名医は大いに感謝され、万事めでたく落着するはずである。そうして名医のいったことが本当だったということが、はっきり分るのである。

ところが、そういうことは絶対にあり得ないというのが、その話の中で一番はっきりした事実である。それで名医が本当のことをいったのかどうかということは、永久に証明はできないのである。薬をのまなくて死んだ人は、もしのんでいても、やはりその悪疫にかかったかもしれず、それだとしたら、たくさん銭を使わなかっただけが儲《もう》け物だったと、強《し》いていえないこともない。この場合、その神薬をのんだ方の人が死ななかったことは、証明にはならないので、その人たちは、薬をのまなくても丈夫でいたかもしれないし、現にそういう人も相当数はいたのである。

この話を少し厳密な意味に解釈するとして、このように本当か否かということが、永久に証明できない場合には、実は「本当」という意味が変ってくるのである。普通に使われている本当という言葉は、科学でいう本当または真の意味である。科学で本当とかあるいは真とかいうのは、実はいつでもその裏に再現可能という条件がついている。再現可能というのは、いま一度繰り返してやってみることができるということで、それができなかったら、本当も嘘もないわけである。

もっとも日食のような場合には、同じ日食は二度と起らないから、再現可能ではないのではないかという疑問も起りうる。しかしそれは人力では再現し得ないという意味で、ここでいう再現可能というのはもっと深い意味である。日食の計算の基礎をなす力学は、もっとも純粋な学問で、複雑きわまる自然の性質の中から、質量とか力とかいうすなわち力学的の性質だけを抜萃《ばっすい》して、その間の関係を見る学問である。それで力学は再現可能どころか、時間まで逆にしても成り立つくらい純粋な、それだけに原理的には簡明な学問である。もし力学的に見た人生観などというものがあったら、敬遠した方が無難である。

物理学や化学のように、無生物を相手としている科学は、再現可能ということを前提として出来上っていることは明らかである。しかし実際に実験をして、その学問の内容を作っていく場合に、完全に同じ条件で実験をすることもできないし、その結果の測定にも、器械の精度で決められた誤差が必ずはいってくる。実際には条件の差は、再現可能という原則に基《もとづ》いた既知《きち》の法則から補正して、その差がない場合に引直《ひきなお》して結果を吟味し、そして目的とする精度の範囲内の誤差に落ちつけば、それが本当であるとするのである。誤差というものは、本来たくさんの測定をしてみて初めて意味が出てくるものである。世界にただ一本の物差《ものさし》があって、それが一度使うとこわれてしまうものならば、その物差ではかった長さは、二度とは確められないので、したがってその測定値には、本当も嘘もなければ、またこの場合には誤差という言葉の意味もなくなる。それでやかましくいえば、比較的厳密な科学の部門と思われている物理学や化学でも、本当という言葉には、統計的な意味しかないのである。

生物学や特に医学の場合だと、話はずっと複雑になる。相手が生き物である以上、同じ条件ということはまずないし、さらに条件そのものに未知のものがたくさんあると考えておく必要がある。特異体質と称せられるものなどは、その代表的な場合であろう。もっとも条件に未知のものがあるのは、物理学や化学の方でも同様であって、ただ対象が比較的簡単なために、その数が少いというだけである。

条件が複雑になれば、誤差の範囲が広くなるのは当然である。医学や生物学の中での本当ということには、かなり広い範囲の誤差を許しておかなければならない。医学が物理学よりも、誤差の範囲が広いということは、何も前者が後者に較べて、未開拓ということにはならない。対象とするものがそれだけ複雑だということを現わしているだけである。ただし対象が同じ場合、すなわち同一部門の学問内においては、誤差の範囲の狭い方がよいことはもちろんである。

こういうふうに考えてみると、前の例で薬が病気に効くというときに、千人のうち九百九十九人治る薬の方が、五百人治る薬よりも上等であることはいうまでもない。もっともここで治るという意味がまた少し曖昧《あいまい》なのであるが、そこまで立ち入らなくても話の本筋には差支えないということにしておく。特異体質も副作用も全部考慮に入れて、千人中九百九十九人確実に治る薬だったら、名薬といわねばならないであろう。この場合は、誤差という言葉を広い意味で使えば、誤差は千分の一にすぎない。そして科学でいう真が、本来統計的の意味のものであるから、これは確かに名薬である。

ところでここで一つの問題が残る。統計でいえば千分の一の誤差であるが、治らなくて死んだ人にとっては、それは千分の一死んだのではなくて、まるまる完全に死んだことになる点である。それが科学と人生との根本的のちがいである。すなわち科学は再現可能という基礎の上に立つが、人生は再びやり直しがきかないのである。

もっともこの場合は、実はまだ話が簡単なのであって、一人くらいの例外があっても、九百九十九人が確実に治る薬ならば、販売禁止にすべきものではない。電車は人を轢《ひ》くことがあるからという理由で、廃止したという話がないのと同じことである。それは結局人間がたくさんいて、統計的に物事を見ることができるからいえることである。個人個人については人生は再現不可能であるが、たくさんの人間については、再現可能という基礎の上に立つ科学における考え方と同じ考え方が成り立つのである。

ところがここにどうしても再現可能でないものが一つある。それは国家である。日本という国はただ一つしかなくて、それが一歩も後へ戻すことのできない歩み方を昔から歩いてきて、今後もずっと歩きつづけるのである。そして永久に続く動きのその一歩一歩が、どれも再び旧に戻すことのできないものなのである。

このように、国家の生長の姿が再現不可能の代表的なものであることには、誰も異論がないであろう。そうするとその動きは、ちょうど時が人間のあらゆる焦慮《しょうりょ》や努力と無関係に、一方へ流れていくように、すべての喧噪《けんそう》や論議とは無関係に、真直《まっすぐ》に、ただ一筋の道を前へ進むだけである。こういうものにとっては、再現可能の基礎の上に立つところの本当とか嘘とか、良いとか悪いとかいう言葉は、もはや意味をもっていないのである。このことは国家の政策になんらの批判や論議を加えることは無意味であるということではない。特に為政者《いせいしゃ》に批判力や論議に耐える脳力がなくては、みすみす国家の前途を危《あやう》くすることは当然であろう。しかし批判も論議も、共に外から見た場合にのみ成り立つもので、現実の国家の歩みそのものは、病人が同時にある薬をのんだ場合とのまなかった場合との比較ができないように、いずれにしても、ただ一筋の道しかたどれないのである。批判や論議は指針となることも多いが、同時にある種の弊害《へいがい》を伴うこともある。その弊害の方は、特に混乱時では著しく現われやすいことも、いまさら言い立てるまでもない。その指針となる分と、弊害となる分との計量は、国家の歩みは一秒といえども再現可能ではないという事さえ心得ておれば、自《おの》ずとできるものである。

再現可能でないところには、真偽はなくて、動きがあるだけだということの例は、いくらもあげられるであろう。もっともシベリア出兵は失敗であったという非難に対して、あのとき出兵しなかったならば、結果はもっと悪かったであろうという種類の話の吟味は止めるとして、もっと面白い例はいくらもある。例えば今から考えてみると夢のような話であるが、二十年前の日本には、金解禁騒ぎという大きな問題があった。時の井上蔵相が金解禁を輿論《よろん》としてあおり、床屋の親爺までが金解禁を論じた時代があったのである。そのうちには「キンカイキン将軍は朝鮮人か支那人か」という論争を、銭湯の中でやるような連中まで出てきた。

そのあいだにあって、この政策が日本の経済界を乱し、国力の衰退をもたらすという反対論を述べた人もあった。これは畏友《いゆう》N氏からきいた話であるが、山崎靖純氏のような実際の経済界を知り、かつ透徹した洞察力をもった人は、敢然《かんぜん》として反対した。N氏所蔵の当時の小冊子の一つを借覧すると、山崎氏はこの政策を実行すると我が国の経済界がいかに混乱し、金がいかに国外に流出し、生産力がいかに減退し、著しい国力の衰退の末に一、二年のうちには再びこの政策の改変を必至とすると述べている。そして序言には、もし現内閣が私の忠言を容《い》れずに金解禁を断行した場合には、一、二年を出《い》でずして、私の深憂《しんゆう》が間違っていなかったことが必ず証明される。「その時の証拠の為にも本書を提供しておきたい」と書いてある。そして不幸なことには、金解禁後の我が国は、山崎氏の予言どおりに進んでいったのである。

この話などは、国家の政策に対して批判や論議がいかに必要であるかということを示す好例である。事実、一般には金解禁によって日本は十億の損失を招いたというような話さえ出たくらいである。そしてそれはある程度まで本当らしい。

しかし現実には金解禁が行われ、金が流出し、再禁止が引つづいて行われ、経済界が混乱し深刻な不景気が襲来し、弱小工業が倒れ、その中から太平洋戦争に突入した重工業や化学工業が生れ、そしてわれわれは世界最強の二国を相手として戦ったのである。それが実際に起った事実なのである。金の流出にともなう深刻な不景気による工業界の整理が、役に立ったかもしれない。もっともあのとき金解禁を行わなかったならば、戦争に突入するような国の態勢にならなかったかもしれない。本当のことは永久に分らないことである。永久に分らないものならば、分る必要のないことなのである。そういう論議は、結局広い意味での科学として成り立つのであって、科学の真はあくまで再現可能の基礎の上に立ち、統計的の意味しかもたないものである。すなわち確からしさの度合を示すものにすぎないのである。

こういう話は何も科学、それは人文科学と自然科学との両方を含めた広い意味のものであるが、その科学が無用のものであるということにはならない。確からしさの度合が相当正確に分れば、それは非常に重要でかつ価値の大きいものである。百分の九十九までよいことが分っているときに、みすみすその反対の道を採るのは明らかに愚かである。論議とか批評とかいうものは、今の例を見ても分るように、大切な役割をもっていることは確かであるが、それは指針として大切なのである。

国家の動きというようなただ一つのものが、ただ一筋の道を一方向きに進む場合には、九十九の中にはいっても、残りの一つという例外の場合にあたっても、すべてがただ一期《いちご》一会《いちえ》である。それは分りきったことであるが、しかしこの点を国民のすべてが知っていることが、今日のような時期においては特に必要である。この心構えができると、その心の強さにはすさまじさが出てくる。利休が茶の心得として一期一会を説いたのには、その心組みにこの種のすさまじさがあったのであろう。それでなくては一碗《わん》の茶をもって戦国の武将に伍《ご》することはできなかったであろう。

科学は再現可能の基礎の上に立っている。それは原則としては同一条件で現象を繰り返し得るとして、すべての考え方を進めていくものである。個人の人生にはこの再現可能の原則は成り立たない。しかしたくさんの人間のそれぞれの人生を纏《まと》めてみる時には、再現可能と同じ考え方が成立する。ただどうしてもこの考え方の適用され得ないものが、国家の生命である。

科学と政治

もう三十年近くも昔の話であるが、瀬田川《せた》の鉄橋の上で、列車が暴風のために吹きとばされて、横倒しになったという椿事《ちんじ》が起きたことがある。

たしか下り列車だったかと思うが、川下から吹き上げてきた強風のために吹きとばされて、川上側の上り線路の上に倒れたのであった。それはたいへん運のよいことであって、もしちょうどその時上り列車がやって来ていたら、吹き倒される側は鉄橋をはずれてすぐ川になっているので、列車は瀬田川の中に落ち込んでいたはずである。瀬田川の鉄橋は、淀《よど》川が琵琶《びわ》湖から流れ出る口のすぐ近くにかかっていて、あの附近はずいぶん深いところである。あの川底に満員の客車が何輛《りょう》か落ち込んだ場合を想像してみると、考えただけでもぞっとする話である。百人や二百人の死人が出るくらいは当然で、悪くすると、全乗客が溺死《できし》したかもしれなかった。

あの場合は、たしか怪我人が何人か出たくらいのことで済んだ。もっとも鉄道省の方では、そういうことは滅多にないことなので、たいへん驚いて、怪我をした人には十分な慰藉金《いしゃきん》を出して大いに陳謝をした。そして「あの列車が幸い下り列車であったことは、不幸中の幸いであって、もし上り列車の場合だったら、考えただけでも慄然《りつぜん》たるものがある」というような意味のことがつけ加えられていた。そしてまあよかったということになって、この事件は間もなく少くも一般世間からは忘れられてしまった。

これが政治なのである。

暴風中に、列車を横倒しにするような突風が瞬間的に吹く。そんな風は滅多にないが、きわめて稀《まれ》にそういうことがあった場合、ちょうどその時に、鉄橋上を上り列車が通っていたか、下り列車が通っていたかは、全くの偶然であって、両者はいわば等価である。それでこの場合、上り列車が来たか、下りが来合わせたかは問題ではない。どんなに強い風といっても、たかが空気の流れにすぎないものに、汽車を横倒しにするような力がどうして生ずるか、これは大いに調べてみる必要がある。

それならば、この話は科学の問題となる。

科学者の中には、こういう例をすぐ政治家の非科学性を非難するための例にとる人がある。しかしこの問題は、そう簡単には片付けられない問題であって、科学と政治との間には、ひょっとすると、本質的なちがいがあるのかもしれないのである。

この列車の転覆の場合だと、科学者はすぐ鉄道の責任者を低能扱いにしたがる。水深何十尺という淵《ふち》の底に満員の客車が沈んで、その中で乗客がもだえながら溺《おぼ》れる情景を想像してみると、慄然くらいですませておける話でないことはもちろんである。そして現実にその可能性が立証され、二分の一のチャンスでそういうことが実際に起ったのである。しかしそれが下り列車であったばかりに、一月もたたぬうちに、世の中から忘れ去られてしまったわけである。科学的にいえば、そういう危険な状態で列車を走らせたことが問題なのであって、数人の怪我人で済んだことは、全乗客が溺死したことと同じ現象なのである。不幸中の幸いなどという一片の陳謝の言葉ですませておける問題ではない。鉄道大臣が引責辞職するくらいの大事件なのである。

そういう議論は、誠に正当な議論であって、科学の立場から立論すれば、まさにその通りである。私もそれに反対するつもりはない。しかしよく考えてみると、そういう議論をする科学者自身が、この場合の鉄道省の責任者と同じような言動をする場合が、案外多いことにこのごろ気がついた。

その一つの例は、日食の観測の報告などによく見られるようである。皆既日食《かいきにっしょく》はたいてい一分間とか、せいぜい二分間とかいう程度の短時間内に終ってしまう。そして一度その機会を逃すと、その土地ではもちろんのこと、近い範囲の地域内では、もう人間一生のうちに二度とは見られないと思わねばならない。地球全域からみても、観測に便利な皆既日食というものは、まず二年に一回あるかなしという程度である。それでどこかに日食があるとなると、世界中のその方面の学者が集って、その一分間か二分間の現象を捕えようと、人智の限りをつくして観測に従事するのである。

昭和十一年の六月に北海道の東海岸地帯にあった日食の場合には、我が国の学者はもちろんのこと、遠く英国のケンブリッジからは、ストラットン博士の一行が参加し、インドからはコダイカナルの太陽研究所長ロイズ博士、米国からはウィルソン山天文台のサッカレー博士、濠洲《ごうしゅう》からはアレン博士というふうに、華々しい国際観測陣が展開されたものである。私もストラットン博士の観測の一部を手伝って、その行に参加したので、思い出は深いものがある。今から考えてみれば夢のような話である。

たくさんの機械を持って、世界の果から六か月がかりで北海道の片田舎まで出かけてきて、狙うところは、わずか一分五十秒の皆既の瞬間だけである。その瞬間にもし機械のどこかに故障が起きるか、あるいは観測の手順をあやまれば、それで万事は終ってしまうので、六か月がかりの遠征は、学術的収穫としては全く無意味になってしまう。それと今一つは天気である。当日雨が降ったり曇ったりすればもちろんのこと、皆既の瞬間に薄い雲がかかるだけでも、全遠征の企図が画餅《がべい》に帰してしまうのである。

この場合、科学者として大切なことは、完全な観測が可能であるような天候に恵まれた場合に、遺漏《いろう》なく完全な観測をすることである。天候にも恵まれ、立派な収穫が得られる方が望ましいことはもちろんであるが、天候のことは人間の力ではどうにもならない。それよりも大切なことは、天候に恵まれさえすれば、あとは絶対に失敗がなく、新しい発見が期待されるか、あるいは従来よりも精度を高めた観測結果が得られるだけの万般の準備をすることである。

ストラットン博士の一行が、上斜里《かみしゃり》の観測に際して採ったその準備の精到さには、誠に敬服に値するものがあった。その詳細は、前に書いたことがあるので略するが、観測機械の整備にも、観測手順の訓練にも、誠に申分ない細心の注意が払われていた。観測をするものが人間である以上、「いかなることがあっても決して失敗しない」ということは、非常に困難なことである。特に六か月の遠征の全結果が、ただ一分五十秒の瞬間だけにかかっていて、一度失敗したらもう取り返しがつかないというような場合には、特にその困難の度が著しいのである。しかしストラットン博士の指揮の下に、一週間の準備と訓練とを済ませた後には、飛び入りの私などですら、もう天気さえ良ければ、絶対に失敗は有り得ないという確信ができていた。それは一行のすべての人々にとって、確信というよりもむしろ常識となっていた。

『これだけの人と機械とを備えて、いかなることがあっても決して失敗しないだけの準備をして、さて後は当日の天候に万事を委《ゆだ》ねて待つのみである。当日は北海道全土はおおむね晴天に恵まれ、ただ上斜里のみが、皆既の瞬間太陽が雲に蔽《おお》われてしまったのである。両手を腰にあてて薄明の中に天を仰いで立っていたストラットン教授の姿は、今も明らかに眼底に残っている。第三接触を過ぎて、しばらくして太陽はまた雲間を出て、三日月形の姿を現わしたのであった。ストラットン教授は「吾々《われわれ》は不運であった」と一言いった』

結局これだけの準備が全部無駄になってしまって、この班は一枚の写真を撮《と》ることもできなかった。しかし運の悪かったのは上斜里だけであって、他の地点の日本の観測班たちは、どこも晴天に恵まれて、それぞれの観測をすることができた。この日食は当時の我が国のジャーナリズムにとっては、恰好《かっこう》の題目であって、必要以上に誇大に取り扱われた。ある政治家は、この直後に放送をして、日本の科学がもはや欧米の科学を凌駕《りょうが》したという演説をした。そしてその一例として、英国班の日食観測が失敗したのに、日本の観測陣が成功したという例を挙げていた。

英国班が一枚の写真も撮らなかったのに、日本の観測隊がたくさんの写真を撮ったのであるから、その政治家にとって、英国が失敗し、日本側が成功したということは、明白な事実と考えられたのであろう。事実それは政治家だったからそう考えたのではなくて、客観的にみても、一枚の写真も撮らなかったよりも、たくさんの写真を撮った方が成功であったには違いない。しかしここで注意すべきことは、失敗とか成功とかいう言葉に重大な意味があるのは、広い意味での政治の面においてであって、科学の世界では、失敗とか成功とかいう言葉には、大した意味がないことである。

この日食の場合についていえば、例えばコロナを例にとるとして、従来の研究で、コロナの性質がどの程度まで分っているかをまず調べる。そしてそれ以上どういう性能の器械を用いれば、何か新しい発見を期待しうるか、あるいは少くとも従来の知識を深めうるかを考えてみる。その調べがついたら、器械の考案をして、それを作る。それが出来上ったところで、日食の時のコロナと似た程度の強さの光を用いて、その器械の性能を調べ、精《くわ》しい調整をする。そしてその器械を実際の日食の場合に想定されるあらゆる条件の下で、実際に使用しうるように、細々した整備をする。すっかりできたところで、その器械を絶対に手違いなく働かせうるように、観測員を訓練する。それができれば、もうあとは天気さえ良ければ、必ず立派な結果が得られるはずである。科学者の任務は実はそこまでなのであって、当日曇れば写真が撮れないし、晴れれば撮れるだけのことである。

写真が撮れたか撮れなかったかは、ある見方からすれば、満点と零点とのちがいである。しかしその見方は、広い意味での政治の見方である。科学の立場からいえば、新しい結果を期待しうる万全の準備ができていたか否《いな》かによって、満点と零点との区別をすべきなのである。それほど極端でなくても、九十点と十点との区別くらいは、そこのところで決めるべきである。写真が撮れたか撮れなかったかということは、ある地点である時刻に天気が良かったか悪かったかというだけの意味しかないので、科学者としてはあまり拘泥《こうでい》する必要のないことなのである。往年の上斜里における英国日食班の研究は、一枚の写真をも撮り得なかったにもかかわらず、あれは立派な業績であったと、私は思っている。その証拠といっては用語が悪いが、ああいう観測ぶりのできる科学者がたくさんいる国では、科学はどんどん進歩していくのであり、それが今度の戦争で立派に証明されたのである。

こういうふうに考えてみると、日食の観測に出かけた科学者までが、成功したとか、失敗したとかいう言葉を平気で使っているのは、ずいぶん不見識な話である。上斜里以後にも、数回日食があって、我が国の観測隊もその都度出かけていったが、その中には、つい新聞記者にひきずられて、そういう言葉使いをしている人もあったようである。もっとも天候に恵まれながらも、観測の結果が悪かったのならば、それは完全に失敗といいうるのであるが、その場合はここでは問題の外に置くことにしての話である。

日食の例は、私たちにとっては、科学と政治との差を説明するのに、最も良い例なのであるが、観測の結果を一つも出さずにいて成功だと言ったりすると、負け惜しみのように思われる虞《おそ》れもある。それで今一つもっと卑近で分りやすい例を挙げてみよう。

昨年の夏の初めのことである。いよいよ戦局が決定的になって、北海道にも頻々《ひんぴん》たる艦載機の来襲があるようになった。青森も焼かれた。B29にしてみれば、あと二十分も脚をのばせば、札幌《さっぽろ》も一晩にして灰燼《かいじん》に帰してしまうであろう。この大詰間際の時になって、街では急に人員と建物との強制疎開が始まった。大学の研究室でも、器械の疎開が問題になってきた。東京やその他の大学では、すでにもっと前からこの疎開が行われていたそうである。研究用の器械は今後当分の間入手の見込みはないので、その保全の問題は、もちろん真剣に考えなければならなかったのである。

私たちの大学の方でも、ようやくその点が問題になり、費用は予備金とかなんとかいうものから出せるから、至急大切な器械だけでも疎開するようにという話があった。しかしもうこの時期になっては、荷造りの資材とても、何一つ尋常に手にはいるものはなく、貨車をとることもむつかしい。小運搬はさらに困難になっていた。不断でも輸送に厄介な精密器械類を、こういう時期に急遽《きゅうきょ》疎開させるといっても、そう簡単にできる話ではない。

そうはいっても、これはなんとかして敢行《かんこう》しなければならない問題である。戦争の途中から、もう新しい実験器械はもちろんのこと、測器《メーター》類一つすら手にはいらない状態になっていた。戦争の前途がどういう方向に進むにしても、今この器械類を燃してしまったら、今後入手の見込みはない。今のような研究はまず半永久的に中絶しなければならないことになるであろう。

半永久的に実験ができなくなってはたいへんだというので、教室の若い人たちは、たいへんな無理をして、一通りの器械をニセコの観測所へ疎開させた。札幌の大学が完全に焼けても、疎開先だけで曲りなりにも研究が続けられるようにというのであるから、たいへんな荷物である。それをあの資材難、輸送難を克服して敢行し、全器械を一つも壊さずに移したのであるからなかなかの功績であった。

ところがその後間もなく思いがけぬ終戦となり、札幌の大学も無事に残った。こんなくらいなら、あんなに無理をして疎開をするにも及ばなかったわけである。全くの骨折り損で、いわば馬鹿を見た次第である。事実これを送り返すとなったら、今度はその費用の出道にも困るような始末になってしまった。最後まで実験器械を護《まも》りとおした研究者たちは、感謝されるどころか、厄介なことをしたものだというような眼付《めつき》で見られることになった。さすがに口に出して言った人はなかったようだが、そういう空気は感ぜられた。

ところでもし八月十五日の御放送が、何かの妨害で阻止され、あの絶望的な戦争が今しばらく続いた場合を考えてみると、話はまるでちがってくるであろう。もちろん札幌も一週間か十日のうちには、焦土の仲間入りをしたものと考える方が至当である。そうなってあの疎開の器械だけが助かり、敗戦の泥土の中でどうにか研究が続けられたら、その研究者たちは大いに賞讃《しょうさん》されることであろう。

厄介視される場合も、賞讃される場合も、研究者たちにとっては、同じ一つの行為をなしたにすぎないのである。科学の観点から言えば、終戦直前のあの混乱の中で、たくさんの器械を一つも壊さずに、見事に安全な場所へ移したという点だけで、ことを判断すればよいのである。余計なことであったか、賞讃すべきことであったかは、あずかり知らないことである。広い意味での政治の立場から見た場合に、初めてそれが問題になるのである。

こういうふうに書くと、あるいは誤解を招くかもしれない。科学というものは、毀《き》誉《よ》褒貶《ほうへん》には無関係に自己の任務だけ果せばよいもの、政治というものは、結果だけでことの価値を判断するものというふうに、簡単に解釈される虞れがある。しかしそうあっさり片付けられては、科学にとっても、また政治にとっても迷惑な話である。

ところでこれ以上話を進めるとなると、厄介なことには、科学の本質と政治の本質とを究めて、その両者を比較検討しながら、議論をする必要がある。政治の定義も少し怪しい自分などにできるわざではない。しかし誰にも分る一番明白なことは、政治は生きた人間を対象にしている点で、科学とは根本的にちがっているということである。科学は人間を離れた「物」と「事」とを対象としていると普通には言われている。自然科学の方はもちろんその通りであるが、経済学とか社会学とかいういわゆる人文科学の方は、ちょっと考えると、人間を相手としているように思われるかもしれない。しかし人文科学でも、それが科学となっている以上、人間という「物」と「事」を対象とした学問であるように、私には思われる。

いったい自然科学の方では、対象は人間ではなくて物であるというが、その意味を少し考えてみる必要がある。というのは、自然科学の対象も実は物ではなくて、物から抽象した概念であるからである。基礎科学である物理学の例をとった方が分りやすいのであるが、例えばある一つの石をとって、その目方とか硬さとかいう物性を測っても、それは物理学ではない。多数の石について、比重とか硬度とかいう性質を抽象して、それで得られた概念を、分析的および綜合《そうごう》的に処理することが物理学なのである。そういう意味では、物理学は物を離れた物の概念の学問である。ある一つの石を対象とするものは芸術である。

生物学などになると、問題は少し複雑になるが、それでも「細胞」は多数個体の細胞の性質を抽象し帰納し得た概念の細胞である。生物には著しい個性の差があり、生命力は各個体によってそれぞれ異なるというふうに考えられるかもしれないが、個性の差というようなことを考えること自身が、普遍妥当性のある概念間の関係の存在を仮定していることである。

経済学や社会学になると話はさらにむつかしくなるが、それが科学として成立する以上は、全く同様なことがいいうるはずである。資本とか価値とかいうものは、もちろん社会現象の中から抽象した概念で、その点はなまじっか「物」がすぐ眼の前にないだけにかえって分りがよいかもしれない。人間には意志があるからそういうふうにはゆかないということもできないので、個々の人間を離れた「人間の意志」の概念を捕えることができ、それと他の概念との間に関聯《かんれん》をつけることができれば、自然科学と同じ形になるわけである。それは非常に困難なことではあるが、筋を言えばそうであろう。

こういうふうに考えてみると、自然科学でも人文科学でも、科学というものはすべて、われわれの内外を含めた自然の万象の中から、普遍性のある概念を抽象して、それらの概念を分析と綜合とによって纏《まと》めたものである。もっともそれだけのことならば、何もこと新しく述べ立てるまでもないことで、ここで問題としてとりあげる必要のあるのは、その纏め方についてである。

寺田寅彦先生の『物理学序説』の中に「同じ人は二度と生れず、同じ天気は二度とない。しかしそういう見方は科学を否定し、凡てを歴史と見る見方である。科学の存在するのは此の歴史ばかりとも見らるる世界を、再現の系統として見ることの可能な御蔭《おかげ》である」という言葉がある。この言葉は、科学と政治とを対照させて考える場合に、示唆《しさ》の深い言葉であるように私には思われる。政治というものは、歴史にきわめて縁の近いものと考えられるからである。

自然の万象は、厳密に言えば、決して再現可能ではない。同じことは決して二度とは起らない。そういう世界においては、科学で現在取り扱っているような意味での法則というものは成り立たないはずである。再現してみることができなければ、法則の真偽の確めようがないからである。それで自然科学の法則には、もし条件が一定ならばとか、他に未知の作用が働かないならばとかいう但し書きが必ずついているわけである。ただあまりに明白なことであるとして、普通には略しているだけである。こういう但し書きの下で、ある範囲内の現象は再現可能であり、そういう現象についてのみ、科学の法則が存在するのである。それで科学の命題はすべてその基調に、再現可能ということを無条件にとり入れている。したがって考え方までがそういうふうになっているのである。

実際は再現可能でない世界を、再現可能という見方の下に、各種の概念の分析と綜合とをするのが科学の立場である。纏め方が問題となる点であると言ったのは、この見方のことであって、ここで不思議でありかつありがたいことは、そういう見方が、自然現象の非常に広い範囲にわたって適用しうることである。科学はこの「再現の系統として見ることの可能な御蔭」だけを蒙《こうむ》って、それ以上なぜそれが可能であるかという問題は哲学に譲ってきたわけである。

再現されない世界をそのままに見る見方ももちろんあってよいはずで、それが歴史の見方である。再現可能というのは、換言すれば、もう一度やり直しが効くということである。歴史はやり直しが効かない。歴史は繰り返すというのは言葉の文《あや》であって、二度目に繰り返されたものは、もう旧《もと》のものではない。というよりは、旧のものでないと見る見方が歴史なのである。その一番長いモデルは「人生」であろう。そして政治というものは、この観点に足場をもったものであるように思われる。それは生きた人間の世界を対象としているからである。

こういうふうに考えてくると、科学と政治とは、その足場からして、根本的に違ったものである。前の三つの例、すなわち汽車の転覆の話も、日食の話も、疎開の話も、こういう観点からみると、その科学的解釈は、いずれにも「再現の系統として見る」見方の上に立っていることが分るであろう。「全乗客が溺死したのならたいへんだが、二、三人の怪我で済んだのなら良かった」というのと「全乗客の溺死と二、三人の怪我とは同じ現象に基づくものだ」というのとは、当否や真偽の問題でなく、見方の差である。もっともそれくらいのことは、概念や再現を持ち出さなくても、分りきったことだといえば、そのとおりである。

そういう分りきったことを長々と説明したことについては、理由がないわけでもない。このごろのような科学ばやりの世の中になると、科学の限界というものをつい忘れる人が出てくる虞れがある点を警戒しようというのが主旨である。政党の中に自分の党が最も科学的であると自慢する者があったり、政府の要路に学者をもってくることを主張したりするような風潮が出てくると、そろそろ警戒した方が良さそうである。別に悪いことではないが、たいして期待のできることでもない。科学にとっては、場ちがいのことにあまり期待をもたれるのは迷惑な話である。科学科学といっても、案外役に立たないではないかというような結果に終る虞れが十分あるからである。もし役に立ったならば、それは科学が役に立ったのではなく、科学によって訓練された科学者の人間が役に立ったのである。この点は大切なことである。

政治には科学は役立たなくても、政治家に科学的訓練を与えることは、役に立つことである。特に我が国の政治に関与している人々については、その感が深いので、この点は注意しておく必要があろう。例えば、ものごとを考える習慣をつけるとか、有利不利にかかわらず現実を直視するとか、数字の冷厳さを知るとか、自分をごまかさないとか、真実に服従するとか、数えあげれば切りがないが、それらは皆科学によって訓練するのが一番早道のように、私たちには思われる。少しでもそういう訓練があったならば、現在のあの馬鹿らしいいろいろな議会の問題が存在するはずもないし、政治の非合理性についても、少くも真面目に考えてみるくらいにはなるであろう。

政治の科学化とか、科学的政治とかいうことがやかましくいわれている時に、科学と政治とは全く別のもので、両者はその根本からしてちがっているものであるなどというのは、少し異をたてる傾きが無くもない。しかしこの両者は根本的に異質のものであるのだから仕方がない。それを混用する人は、経済学者は皆金儲《もう》けが上手《じょうず》だと思う類《たぐい》である。

政治の科学化ということは、政治家に科学的の訓練を施すという意味で初めて意義が出てくるのであろうと私は思っている。

科学のいらない話

戦争中に科学の力ということがやかましくいわれ、終戦後もまた同じようなことが、相もかわらずいわれている。

しかし戦争中および戦後の日本では、残念ながら、科学などはあまりいらないようである。B29の大量生産や、原子爆弾の発明ならば、科学は大いに必要であるが、このごろの日本の問題は、科学を必要とするまでに到らないものが多いように、私には思われる。

もっとも、そんなことをいうと、ただ奇矯《ききょう》の言を弄《ろう》しているように思われやすい。それで戦争中および敗戦後に自分で経験した例を少し話してみよう。

戦争の後半に、日本が鉄に非常に困ったことは、誰でも知っているとおりである。大陸や南洋から鉄鉱石を運ぶことがだんだんむつかしくなって、急に皆が騒ぎ出したわけである。国内の鉄資源を、なんでもかき集めることになったのであるが、もともと良い鉄鉱は、日本にはない。それで普段はあまり問題にもされない粉鉱が、急に表面に浮かび上ってきた。北海道の山奥にある脇方《わきかた》の褐鉄鉱《かってっこう》が、室蘭製鉄所《むろらんせいてつじょ》の大切な鉱石となるというような、あわれな始末であったのである。

脇方の褐鉄鉱というのは、簡単にいえば、鉄の赤銹《あかさび》が流れてきて、沼の底などにたまったもので、沼鉄鉱ともいわれている。褐鉄鉱などというと体裁がよいが、実際は橙色《だいだいいろ》をおびた赤茶けた泥なのである。この泥を無蓋貨車《むがいかしゃ》につんで、胆振鉄道《いぶりてつどう》という、当時まだ私鉄であった小さい汽車で、ごとごとと虻田《あぶた》まで出す。そこで省線の長輪線につなぎかえて、室蘭まで送っていたのである。

この輸送は、普段ならばたいしたことはないのであるが、冬になると、非常に困ることが起きる。それは輸送途中で、粉鉱すなわち泥が凍ることである。水を十分にふくんだ土が凍ると、コンクリートみたいにかちかちになってしまう。これはたいへん始末の悪いもので、貨車から下すにも、鶴嘴《つるはし》で少しずつ欠いてこわすより仕方がない。

たいへんな人手を要するのであるが、それだけの人夫はとても集らない。けっきょく勤労動員ということになって、中学校や女学校の生徒、町の婦人たちまでを無理にかき集めて、皆が馴《な》れない鶴嘴で、カチンカチンと凍った泥をこわしていた。寒風に吹きさらされながら、何百人という人間が、終日凍った粉鉱を割っても、とても間に合わない。貨車のとどこおりがすぐ百台、二百台とたまってしまう。熔鉱炉《ようこうろ》の方では、鉱石が足りなくて、これでは火が落ちてしまうと、大騒ぎをしている。同様なことが、北朝鮮の茂山の粉鉱でも起り、釜石《かまいし》の粉鉱を室蘭へもってくる場合にもある。それで「粉鉱凍結防止の研究」というのが、急に重要問題として、出てきたわけである。日鉄の首脳部が協議した結果、この問題を運輸省の研究所と、私のところとへ持ってきた。凍結の研究は私の方へやらせ、輸送の方は運輸省の研究所というつもりであったのであろう。

この問題は、あとで分るように、何もそう厳《いか》めしく考える必要のない問題だったのである。いわば科学などいらない問題なのである。しかし初めのうちは、そういうことは分らないので、それは重大な問題だと思って、早速とりあげることにした。

こういう問題のやり方は、決っているので、話は簡単である。早速資料の粉鉱を送ってもらい、それでいろいろな含水率の標本をたくさん作り、それらを低温室の中で凍らせてみる。十五センチ角で深さも十五センチくらいの箱の中に、一定含水率の粉鉱をつめ、周囲と底とは防寒材料でつつんで、表面から凍結させる。そして凍結線の沈降速度を測れば、それだけでもうだいたいの目安はつくはずである。

凍結線の沈降速度、すなわち凍結速度は、もちろん気温によって異なり、寒いほど速くなる。それは当然のことである。ちょっと面白いのは、含水率との関係で、乾いているとと断熱性が良いので、凍結速度は小さい。水が多くなると、熱を伝えやすくなるので、凍結速度がだんだん大きくなる。しかしあまり水が多くなると、今度はその水が凍る時に出す潜熱の方が余計に効いてくるので、かえって凍結速度が小さくなる。それである一定量の含水率の時が、一番速く凍ることになる。

ところで問題は、その凍結速度の数値である。北海道の気温から考えてみて、風の影響を入れてみても、この粉鉱は、最悪の場合でも、一日に一センチとはどうしても凍らないはずだという結論になった。ところが脇方から室蘭までは、うまくいけば七、八時間、どんなに貨車ぐりの都合が悪くても、一昼夜みておけば十分なところである。それでは話が変である。表面一センチくらい凍っても、鶴嘴で簡単にこわれるはずであるから、輸送による粉鉱の凍結という問題は、北海道の今度の場合には起り得ない現象だという結論になる。それでは「凍結防止の研究」はやりようがない。

それで早速室蘭の方へ手紙を出して、輸送中に粉鉱が凍結して困るということはないはずだから、貨車が着いたらすぐ下せばいいでしょうといってやった。ところがそれではお気に入らなかったらしい。すぐ返事が来て、実験室の中で、小規模な実験をすればそういう結果になるかもしれないが、あの恐ろしい厳寒の吹雪の中を輸送してくると、実際には鶴嘴も立たぬくらい堅く凍ってしまう。そう簡単に片付けられては困るという意味のことをいってきた。

理論と実際とはちがうということが、日本ではよくいわれるが、その本当の意味は、まちがった理論と実際とはちがうということである。それでもし本当に粉鉱が凍るのならば、私たちの実験がまちがっていたわけである。それならば、はたして輸送中に粉鉱が凍るかどうか、粉鉱をつんだ貨車にのって、途中ずっとその凍結状態を観測してみようではないかということになった。この実験をやっていた助手のS君というのは、北満の永久凍土層の中に孔《あな》を掘ったり、ニセコアンヌプリ頂上でテントをはったりするという話になると、急に機嫌がよくなる男である。厳寒の胆振鉄道で、無蓋貨車の上に粉鉱と一緒に乗るという話は、ひどく気に入って、早速やりましょうという。

それで貨車に一度乗ってみたいから、日鉄の方で何か手続きをして、その許可をとってもらえまいかといってやった。ところがその許可は室蘭ではむつかしいようだから、いずれそのうち札幌へ出て鉄道局の方と打合せをするから、しばらく待ってくれという返事が来た。その後だいぶ待ってみたが、なんともいってこないので、とうとう業《ごう》をにやして、S君と二人で、さっさと脇方まで出かけてみた。そして鉱山の様子と、粉鉱積込みまでの手順とをすっかり見て、いささかあきれてしまった。しかしその問題は別にして、とにかく無蓋貨車に積み込んだところから、その粉鉱の表面および内部温度分布の測定にとりかかることにした。

脇方からすぐ近くの京極《きょうごく》という駅までは、この粉鉱輸送の専用線みたような支線であるから、問題はない。京極で胆振鉄道の本線につなぐので、京極の駅長さんのところへ行って頼んでみた。毛皮の防寒具で全身を固めた男が二人、駅長室へ乗り込んで事情を話し、「三等の乗車券は買うから、それで貨車にのることを黙認してもらいたい」と頼み込んだ。駅長は一も二もなく承知して、切符なんか買わなくてもいいですよといってくれた。手続きは札幌鉄道局でなくてはなどというようなのとは、だいぶ話がちがうようであった。

その上私の方ではこういう註文《ちゅうもん》もあった。あまりすらすらと輸送されたのでは面白くないから、一晩京極で放置してもらえないかという無理な話なのである。それもちょうどそういう貨車ぐりになっているのが一台あるから、その貨車について調べなさいと教えてくれた。

話は万事片付いたので、また脇方へ戻り、S君と二人で悠々と無蓋貨車の粉鉱の上に腰を下して、四方の景色を眺めながら、粉鉱の中につき立てた十数本の寒暖計を時々読み取るだけの仕事で、御機嫌で京極へ着いた。京極で一晩放置する間、夜の九時と十二時とに測定をしただけで、あとは宿屋でゆっくりねた。

翌朝早く構内へ行ってみると、貨車は依然として残っており、粉鉱はちっとも凍っていない。気温は未明に最低十五度くらいまで下ったが、粉鉱は表面がようやく零度近くまで冷えただけであった。

午前中三時間ばかり、無蓋貨車の上で、厳寒の北海道の渓谷の景色を満喫《まんきつ》し、寒風も満喫した。粉鉱の温度は三十分ごとに測ってみたが、低温室の中での実験値とだいたい似た程度の冷却速度を示すだけであった。正直なもので、粉鉱も人間の眼が光っていれば凍らないものである。風速の測定もしたが、これはちょっと意外な結果が得られた。ちょっと考えると、汽車の進行速度だけの風速は最少限度あるように思えるが、それは無蓋貨車の上、高さ一メートル以上のところで測ればそのとおりである。しかし粉鉱は山盛り積んであるわけではないので、粉鉱の表面直上は風の蔭になり、風速は毎秒二メートルにも達しない場合が多いことが分った。風速二十メートルの烈風などという言葉にただ驚いてはいけないので、それがまともに当る場合に驚けばよいのである。粉鉱凍結の場合は、気象台で測る風速や、列車の速度から出した風速は、直接には効かない。要するに、実測の結果、風速による冷却は、そうひどく心配するには及ばないことが分って、ちょっと面白かった。

無蓋貨車は、寒いことだけ我慢すれば、気分のよいもので、オープンのドライヴを大仕掛けにやったと思えばいい。それにいろいろな測定の結果がすぐ分るので、たいへん愉快であった。ただトンネルだけは少々閉口なので、私は車掌室へ逃げた。S君は無蓋貨車でトンネル通過などということが好きなので、残っていた。粉鉱の上に腹ばい、口を泥の直上におくと、なんでもないそうである。

虻田で省線につなぎかえ、あと室蘭までは、一時間と少しである。それで私はすぐ連絡する客車でさきに室蘭まで急いだ。というのは、ちょうどこの日に、東京の運輸省の研究所から、所長以下えらい人たちが十何人と出かけてきて、室蘭の製鉄所で、粉鉄鉱凍結防止対策なんとか会という大会議が開かれることになっていたので、それに間に合わすためである。

それで室蘭に着くと、すぐ会場へ行った。ちょうど午後の会議に間に合って、大会議室に卓をコの字に並べ、四十人ばかりの人が並んでいた。私も報告を求められたので、低温室内の実験結果をのべ、昨日から今日にかけての輸送途中の現地観測の結果も、その実験の結果と一致する由を話した。途中で一晩放置という比較的悪い条件で輸送しても、表面から一センチ以内しか凍らなかったことも話した。要するに、着いたらすぐ下すことに手順をきめて、百台も二百台も貨車をためて、すっかり凍りきるまで待ってから下すことさえしなければ、問題は何もないのである。手順がつかなければ、一晩くらいは放っておいても、大したことはない。どうも妙な結論で、せっかくの大会議に水をさしてしまって悪かったが、事実はそのとおりなのだから仕方がない。

今では当時の人は皆かわっているので、たいしてさし障りもないだろうから書くが、これだけの大騒ぎをしながら、脇方にも虻田にも、輸送関係の見張人が一人も出してなかったのである。日鉄の本社へ出した報告書の対策の項には「脇方に駐在員を置き、貨車発送ごとにその番号と発時刻とを、鉄道電話を借りて、室蘭駅へ連絡すること」と書いておいた。それだけで解決する問題なのである。科学も物理学も何もいらない話である。

もっともこれは脇方の粉鉱を室蘭へ運ぶ場合についての話である。北朝鮮の茂山の粉鉱の場合のように、気温が零下三十度くらいにも下り、しかも粉鉱自身の熱伝導度が大きくて、正規に輸送しても全部凍る場合は、こう簡単には行かない。そういう場合もついでに片付けておくために、本当の研究もしておいた。この場合も、凍結防止にあまり拘泥《こうでい》するのは利巧《りこう》でないことがすぐ分ったので、別の見方から実験を進めた。

それには凍結粉鉱の硬度と含水率との関係を調べた。水分が少《すくな》ければ、凍っても、砂を固めたように、簡単にこわせるが、水分が多いとかちかちに凍ってしまう。それは常識でも想像されることである。それでいろいろな含水率の資料を凍らせて、それを硬度試験機にかけて、破壊に要するエネルギーと含水率との関係を調べてみた。結果は非常に面白く、含水率四パーセントくらいまでは、脆《もろ》くて簡単にこわせるが、それ以上水分が多くなると、急に硬度が増すことが分ったのである。すなわち四パーセントくらいにまで水分を減らしておくと、凍っても心配はないことになる。それで問題は、いかにして含水率をその程度に減らすように、大量の資料を処理しうるかという形にかわる。

茂山の粉鉱は初めは、平均八パーセントくらいの水をもっている。それを半分に減らすことは、簡単な遠心分離器を使えば、そう困難なことではない。それに大量処理といっても、貨車に積む時は、一台十トンくらいしか積まない。それで積込みに例えば三十分かかるとすると、その三十分間に十トン処理のできる連続型の簡易遠心分離器が作れれば、問題は解決することになる。

そういう遠心分離器の製作は、工学者の協力が得られれば、そう困難なこととは思われない。水分を蒸発によってとるか、遠心力によってとるかといえば、そのエネルギーは、後者が比較にならぬくらい有利なのであるから、「凍結防止」の研究は、こういう方向に変形させるのが、少くも原理としては、最も利巧な行き方であろう。これならば少しは科学の必要な研究である。そしてそういう研究の方が、研究者には面白いのであるが、科学のいらない「研究」の方が、実際には役に立つ程度の状態であるのだから仕方がない。

前の話とは、趣きはちょっとちがうが、似たような面白い話が、戦争中にもう一つあった。それはラジオゾンデ用の水素をつくる話である。

航空作戦の基礎は、航空気象学にあり、航空気象学の基礎は、上空の気象要素の測定にある。それはいまさらいい立てるまでもないことである。ところで上空の気象要素の観測には、ラジオゾンデが絶対に必要な器械である。小型の発信器を気球につけてとばし、温度や湿度の変化によって、その発信器の波長がちがうようにしておくと、地上で受信して、その波長の変化を測ることによって、上空の温度や湿度が分るのである。

このラジオゾンデは、とばし放しであるし、それに気象要素は、少くも一日に二回は毎日の観測が欲しい。それでこの観測は贅沢《ぜいたく》な仕事で、日本ではちょっと困る観測なのである。しかし戦争中は、それくらいのことは、飛行機一台失うことを思えばなんでもないので、陸軍でも海軍でも、盛んにこのラジオゾンデをとばしたものである。

ただ困るのは、海軍の離島での観測である。気球用の水素を内地から運んでいたのであるが、だんだん輸送がむずかしくなる。それに水素はボンベに入れて送るので、内容に比して風袋《ふうたい》が馬鹿らしいほど重いわけである。しかし離島のゾンデ観測が、海軍の航空気象の方では一番大切なので、なんとかしてつづけたい。それには現地で簡単に水素を多量につくるよりほかに方法がない。

海軍気象部長の人が、戦争中にこういう話をもってきたことがあった。聞いてみればもっともな話で、一つその方面の専門家にきいてみましょうということにして別れた。ところでこういう話になると、最適任の男が友人に一人いる。当時北大工学部の応用化学の教授であったH君である。それで早速H君にその話をしてみた。

ところが予期どおり次ぎの朝、H君はのっそり私の家の庭先に顔を出して、「昨日の話だがね。水素が欲しいのか、それとも気球が上げたいのかね」という。H君が、こういういい方をする時には、もう問題は半ば解決しているので、まず安心した。

話は簡単で、しかし面白いのである。それはアンモニアを分解すればよいので、アンモニアは水素三と窒素一との割合の化合物であるから、それを分解した瓦斯《ガス》は、窒素を二十五パーセント含んだ水素である。この窒素をとり除こうとすると厄介《やっかい》だから、そのまま使えばいい。窒素を四分の一含んでいても、浮力は空気とその瓦斯との目方の差できまるので、気球を少し大きくすれば、浮力は充分に得られる。直径を一割くらい大きくすればよいので、その方はたいした問題ではない。

アンモニアならば、タンクで運べるから、ボンベのことを思えば、輸送は非常に能率的になる。それにアンモニアを水素と窒素とに分解するには、何も薬品はいらないので、鉄屑《てつくず》を触媒《しょくばい》にして、八百度くらいに熱してやれば、簡単にしかも完全に分解する。鉄屑は触媒になるだけで、水素で還元されるから、いつまでも錆《さ》びない。それで一度装置を作ってやれば、ほとんど永久的に使える。これに限るということになって、H君は早速この分解装置を設計することになった。

熱源には電熱を使うことにした。離島でも電源は皆もっているということであった。アンモニアの分解に伴なう熱量は分っているし、装置から逃げる熱量もだいたい推定されるので、容量さえ決めれば、ニクロム線の太さも計算される。容量は使用者側の希望で決るので、これで問題はすっかり片付いたはずである。

気象部長にこの話をすると、たいへんな喜び方である。「わずか一週間くらいで、こういう大問題が解決するのは、まさに神助によるものだ」というのである。この神助にはH君もすっかり照れてしまって、返答に困ったようであった。

ところで厄介なことには、そういう装置を是非《ぜひ》一つ作ってくれというのである。それでH君は実験室の中のがらくた道具を集めて、一つそういう装置を作って、アンモニアを通してみると、はたして瓦斯が出てくる。それで気球をふくらますと、ぽっかり浮き上る。当り前のことである。それでも海軍から人がやって来て、ふくらんだ気球を見て、大喜びである。H君にしてみたら、馬鹿らしい話で、アンモニアを分解して七十五パーセントの水素が出てこなかったら、化学が全部まちがっていることになり、それでふくらませた気球が浮かなかったら、物理学が全部まちがっていたことになる。

ここまでやってもまだ放免にはならない。今度は野外用の実物の装置を作ってくれということになったそうである。もっとも発明というものは、スペリイの言い草ではないが、ここまでは五パーセントで、あと野外用の実物を大量生産するに到るまでの苦労が、九十五パーセントであるから、これでH君が手を切っていいというわけではない。しかし海軍にも技術者はたくさんおり、工場にもこういう仕事に適任な人がいくらもいるはずであるが、どうしてもH君がやらなければ承知をしないようであった。

それでH君は近くの街の軍需工場へ、何十遍となく通って、ようやく実地用の分解装置を作り上げた。そしたら今度は、その装置をもって、小田原《おだわら》の気象隊まで出てきて、それで気球を上げて見せてもらいたいという依頼が来た。ここまで来ると、話にて愛嬌《あいきょう》が出てくる。H君は北海道からわざわざ小田原まで出かけていって、その装置でアンモニアを分解して、それで気球をふくらませ、手を放すと、気球はずっと昇っていったそうである。そしたらなみいる閣下や将校たちが、一せいに拍手して大いに喜んだそうである。

この話には、二つの見方がある。H君が「水素が欲しいのか、気球が上げたいのか」という質問から発して、鉄を触媒とするアンモニアの分解という、既知の方法ではあるがそれを採用し、試作品を作り、ついに実地用のものまで完成したという筋から見れば、これは模範的な発明である。しかし海軍の人たちはそういう見方で拍手したのではなく、最初のアンモニアの分解から小田原までの「科学のいらない」部分を拍手したのであろう。ここで「科学のいらない」部分といったのは、その間のH君の仕事は、切符をいかにして入手するか、それをいかにして現物化するか、工場の人たちといかに交渉するかというようなことに、大部分の精神力を使ったという意味である。

以上の話は、二つとも、とにかく役に立った話である。しかしこの場合役に立ったのは、科学ではない。強《し》いていえば、科学者が役に立ったのである。

科学が役に立つ場合と、科学者が役に立つ場合とは、区別して考えなければならない。そして本当は、我が国も科学が役に立つような、大きいそして困難な問題を必要とする国であってほしい。しかし戦争中の我が国の水準は、そこまでとても行っていなかったし、戦争後もますますひどいようである。

日本の国は、まだ科学の知識を活用するところまでは行っていないので、せいぜいのところ科学者の智慧《ちえ》が役に立つことがあるくらいのところであろう。そういう程度の国では、為政者は一つ心得ておくべきことがある。それは科学者を道具として使おうとしないことである。道具は使う人があって初めて役に立つものであるからである。

敗戦後の国家再建は科学の力によってなどと、空虚な言葉を使わないことが大切である。戦争中の軍が、あれほど科学科学といい立てて、けっきょく日本の科学が役に立たなかったのは、科学者を道具として使おうとしたからである。この水素の話など例外的な場合である。もしこのときに「水素を多量に作る方法」の研究を命ぜられたのなら、H君も手の出しようがなかったであろう。

科学による増産、科学による開発、科学による経済の安定などと、たいへん賑《にぎ》やかなことであるが、その中には「科学のいらない話」がずいぶんたくさんありそうである。

雪今昔物語

――終戦後間もないころの思い出――

一

　もう十年前のことであるが、昭和十一年の秋に、北海道に大演習があり、天皇陛下が北海道に行幸されたことがあった。

　その時に一日北大へ行幸の日があった。そして私は低温室の中で、雪の結晶の人工製作を天覧に供する機会を得た。それが表題の『雪今昔物語』の機縁である。それから十年後の今年、昭和二十一年の暮に、私は東宮殿下への『雪』の御進講に上京し、引き続いて天皇皇后両陛下、さらに義宮様および内親王様たちに、同じく『雪』の御進講を申し上げる機会に恵まれた。

　十年の年月は、不断の時代ならば、ただの一昔の話としてすませることである。しかしこの十年間は、千年にも比すべき十年であった。今回の御進講に際して、私は宮中にスチームが全然通っていないので、控の間では外套《がいとう》を着ていたということを、新聞社の人に話した。その話が北海道の新聞に出たのであるが、最近道内の某市の駅長さんに会ったら「その記事を読んで私は思わず涙をこぼしました」という話をきかされた。その駅長さんの話が機縁になって、この小文を書いてみる気になった。

二

十年前に、零下二十五度の低温実験室の中へ陛下の行幸を仰いだころは、陛下は若々しく非常に御元気に拝せられた。当時の日記を開いてみると「御肥りにて御色よく光輝く許《ばか》り也《なり》、万歳也」という一句が挿入されている。昭和十一年の秋といえば、「満洲建国」から四年目、二・二六事件のあった年の秋のことである。一年後の蘆溝《ろこう》橋事件《きょうじけん》の勃発《ぼっぱつ》を目前にして、軍国日本がその極盛期にあった時代のこととて、警護なども並大抵のことではなく、すべてが物々しい雰囲気につつまれていた。

低温室の中で人工雪の結晶を天覧に供するということが、いよいよ本極《ほんぎま》りになったのは、九月十日のことであった。しかしこの任務は、当時の国内の習慣や観念の下では、並大抵のことではなかった。

それはほとんど不可能に近い困難なことであった。というのは、雪の結晶の人工製作に初めて成功したのは、その年の三月のことであった。それも二年越しのいろいろな試みの末に、やっと偶然に一つの結晶ができたにすぎなかったのである。その後実験はずっと続けてきていたのであるが、現象が著しく不安定なために、実験は非常にむつかしく、なかなか思うようには進歩しない。何度もくり返しているうちには、思うような結晶もできるのであるが、今この実験で、ある指定した形の結晶を、一回で間違いなく作れといわれても、それは到底できない相談であった。最初の偶然の成功以来、まだ六か月も経っていないのであるから、無理もないことであった。

そういう時期に、十月八日に北大行幸がきまり、午後三時三十分から二分間陛下が低温室へおはいりになるから、ちょうどその時刻に結晶を作っておいて、御目にかけるようにという御達しである。それを御引受けしたのであるから、後から考えてみれば、ずいぶん大胆な話であった。

それには時代の空気が大きい役割をもっていたのである。御先導の巡査部長が、予定より別の通路を御案内したといって自殺したり、小学校の校長は、御真影奉安所が焼けると、火の中にとびこまねばならなかった時代であった。とうとう宮内省から御《お》思召《ぼしめ》しとして、そういうことは止めるようにという御達しまで出たが、愚昧《ぐまい》なる世論がそれを許さなかった。陛下の御意志に反してまでも、いわゆる忠君愛国の強請《きようせい》が行われた悪夢の時代である。

三

陛下が零下二十五度の低温室におはいりになるというのは、おそらく空前絶後のことである。その時にもし結晶ができていなかったら、たいへんなことになるであろう。それでどうしても「絶対に間違いなく」、決った時刻に決った形の結晶を作ることを考えねばならない。普通ごくありふれた指示《デモンストレーション》実験でも、さていよいよとなると思わぬ故障が起きて、大勢の聴衆の前でまごまごして困ることがある。そして不断はなんでもないことが、とかくそういう時に限って手ちがいが起るものである。我が国の物理実験学の祖中村清二先生は、指示実験で絶対に間違いなく成功する秘訣《ひけつ》として、あらかじめ何もかも当日やるとおりにして、何回も実験をしてみるように、そしてそれにはビーカーの中にどこまで水を入れておくかという点までもちゃんと決めておかなければならない、と教えられた。指示実験の場合は、それでもまだ気が楽である。少しくらい失敗しても、その失敗の原因をその場でつきとめて、すっかりやり直してみせれば、かえって教育効果はあがることになる。しかし今度の場合は、それとは全く話がちがうので、二分間をとり逃したら、万事がそれで終ってしまうのである。

それには日食の観測のような心構えが必要であった。ちょうどその年の六月に北海道に皆既日食《かいきにっしょく》があって、世界各国から観測隊が来た。その中で一番大がかりだったのが英国班であった。当時新聞紙上を賑《にぎ》わしたケンブリッジのストラットン博士の一行である。私もその班に加わって、一週間ばかり起居と観測準備とをともにした。その時に感じたことは、この一行が、当日晴れてさえくれれば、いかなることがあっても、絶対に失敗しないという確信がもてるまでの完全な観測準備をした点である。その内容は前に『英国日食班の印象』に書いたことがあるが、わずか一分五十秒の観測に、大規模な観測隊を六か月がかりで、はるばる極東の僻地《へきち》にまで送るには、それだけの心構えが必要であったのである。

この時の経験が、今度の場合に非常に役に立った。あるいはこういう経験をもっていなかったら、このような困難な大任を引き受けはしなかったかもしれない。

四

まず実験をすすめるのが肝心なので、低温室を一か月だけ専用させてもらうことにした。

その時までは、八畳間の広さの低温室の中で、物理、医学、工学の各方面の仕事が、六組くらい目白押しに為されていた。人工雪の実験もその片隅でやっていたのであるが、専用できるとなると、気が大きくなる。当時助手だった柳田君が総監督になり、角理学士と戸田、丸山両学生とで、三種類の装置を作り、それらの中で、六花状の雪と、六角板の雪とを作る実験を始めた。

意気込みもちがっていたし、それに低温室を専用できたので、不断の六か月分くらいの進歩が、一か月で得られた。そのうちでも、戸田君の装置が一番成績がよかったので、それを三個と、他に二種類各一個との装置を作った。当日は全部で五個の装置を用いて、時間を少しずつずらせて結晶を作り、どう間違っても、そのうちのどれかの中では、陛下御入室の時刻に、ちゃんと結晶ができているというふうな手順をとることにした。

ところでちょっと困ったことは、こういう準備に熱中しているうちに、痔を悪くしてしまったことである。それがだんだんひどくなって、十月にはいったら、一晩中眠れないくらい痛むようになった。床の中で助手の人たちと連絡をとりながら、一週間ばかりねていた。柳教授がたいへん心配して見舞に来られて、自分ですっかり手当をして下さったので、二、三日してそれでもどうにか起きられるようになった。

いよいよ行幸の前日になって、大分快いので学校へ出てみたら、たいへんな命令が来た。それは明日は助手の人は低温室にはいってはならないという大学当局からの御達しである。「他の天覧室は一週間も前からすっかり消毒をして立入禁止になっているのだから、低温室も当日は御説明者以外は入室しないように」という話なのである。写真や標本だけを御目にかける室と、人工雪のような困難な実験とを、一緒に取り扱われては、どうにもやりようがない。宮内官や警察関係の面から、そういう御達しの来ることは、十分予期できることであったが、科学の殿堂《でんどう》をもって自負している大学側から、こういう話が出たのにはちょっと驚いた。

五

しかし今さら御辞退もできない。

仕方なく物理実験というものの本質から説き起して、誰か側についていないでは、こういう不安定な現象を捕えることはできないというゆえんを詳しく説明した。結局総長の裁断を待てということになって、それを待っていたら、夜晩《おそ》くなって返事が来た。「一人だけ三時間前まで入室してよろしい」ということであった。

ところがこの三時間前までというのは、実は辛《つら》いのである。というのは、当日午後二時半に教授一同に列立拝謁を賜うので、十二時半から二時半まで、私はその席に列せねばならなかったからである。御入室は三時三十分であるから、その三時間前までしか助手は入室できないとすると、ちょうど私が列立拝謁のために低温室を離れると同時に、助手の人も低温室を出なければならないことになる。それでは実験の一番むつかしい期間の二時間を、誰も人がつかずに放っておかなければならない。それで雪の結晶ができたら不思議である。

慌《あわ》てて明日の列立拝謁を御辞退できないかときいてみたら、それは絶対に許されないという。理由はきわめて明瞭《めいりょう》で、もう名簿にのっているからというのである。「一人だけ抜けたままにしておくことはできないし、それを詰めると数が合わなくなる」というので、到底許されそうもない。大学当局としては、そんなことをして、責任にでもなったら大問題なのであろう。それでその方はあきらめて、無人実験を敢行《かんこう》する決心をした。

無人実験をするとなると、今から手順を変更しなければならない。しかし三人の助手諸君に徹夜をしてもらえば、明朝までには間に合う目算ができた。「当日は御入室の前に助手などはもちろん入室させませんでした」と一言いうためには、その蔭《かげ》に大分苦労があるわけである。「いかなることがあっても、絶対に不敬《ふけい》なことがないように」と「いかなることがあっても、絶対に実験に失敗しないように」とが、鉢合わせになった恰好《かっこう》である。

六

ところで断っておかなければならないことは、雪の結晶は、あらかじめ作ってそれを低温室内に貯蔵しておいて、陛下が御入室になった時に、それを御目にかけるというわけにはゆかないのである。結晶の表面エネルギーの関係で、たとえ零下二十度、三十度の低温でしかも飽和水蒸気圧の空気中に置いても、結晶の尖《とが》った部分が昇華蒸発をするという厄介《やっかい》な現象がある。零度以下では結晶はもちろんとけないが、しかし鋭い輪郭の形とか、繊細な内部構造とかは、この昇華蒸発のために、二、三十分もすると、もう大分崩れてしまうのである。

なんとかして生長の途中にある繊細美麗《せんさいびれい》を極めた形のものを天覧に供したい。それも六花と角板と二種類御目にかけたい。しかし結晶生成の一番大切な二時間を、無人のまま放置しておくのでは、どんなに注意して条件を決めてみても、普通のやり方では、成功の見込みはまず五分か六分である。二時半に低温室へはいってみて、結晶ができていないか、あるいは生長しすぎて、余分の氷がくっついて、滅茶苦茶な形になっていたら、もうそれからでは間に合わない。そういう最悪の場合にも、何も御目にかけないわけにはゆかない。形は多少崩れていても、前に作ってしまっておいた結晶を、代用に使うより仕方がない。それでできるだけ昇華蒸発をさせないで保存する方法を考えることにした。

そのためには、硝子罎《ガラスびん》の内壁全面に、雪の結晶の一枝と似た形の霜の結晶を叢生《そうせい》させたものを用意する。その霜ももちろん人工的に作るのである。そういうふうにした罎の中央に、雪の結晶を細い毛で宙吊《づ》りにして密閉しておくと、昇華蒸発は大分少なくなり、四、五時間くらいは、辛うじて原形の輪郭を保つことができる。正午ちょっと前くらいに結晶を完成させて、それをこの保存罎の中にしまっておくと、最悪の場合の用意はできたことになる。もっとも正午ごろ完了するはずの実験が失敗することも考えておく必要がある。この時代の技術では、二回実験して一度成功すればよい方であった。それでその前に今一回作っておいて、もし正午完了の実験に失敗したら、その前の旧《ふる》い結晶で間に合わすことにする。それには、第一回の実験を朝の四時から始めればよい。これでまずスタートはきまったわけである。

次にこの保存結晶と、生成途上の完全結晶との中間を行く道もある。それは十二時半に低温室を出る直前に、結晶がほぼ完成するようにして、そのまま水蒸気の供給を極度に減少しておく方法である。これは下手《へた》をすると、結晶が蒸発するか、過剰生長をする虞《おそ》れがあるが、巧《うま》く半殺しの状態になっていてくれれば、一番巧いかつ安全な方法である。それで装置の一つは、この方に使うことにした。

しかしこれらの方法は、本物が失敗した場合の弥縫策《びほうさく》であって、肝腎《かんじん》なのは本物の方である。それで本物の方の手配をきめておく必要がある。いろいろ討議した挙句《あげく》、一時まで低温室に出入を許可してもらうことに勝手にきめて、明日の手順を決定した。すなわち次のとおりである。

装置一号A　十時スタート、十一時核出現、十二時—一時電流〇・五A、無人放置、二時半結晶の状態を見て電流調節、三時半完成予定。

装置一号B　十二時までに保存用結晶作成、十二時スタート、一時核出現、そのまま無人放置、二時半電流〇・八A、三時半までに急激に結晶を生長させる。

装置一号C　十時までに保存用結晶作成、十時スタート、十二時半結晶完成、一時電流切り無人放置、二時半検査、良ければそのまま三時半まで装置内放置。

装置二号と三号とは、それぞれ角板と、樹枝付角板とを作る条件にして、一号Aと同じ手順にする。

七

これだけの打合わせを済ませて、私は痔の方が怪しくなったので、家へ帰って寝た。明けて十月八日、案外身体の調子がよかったので、元気で登校した。靴下から下着から、身につくものを全部新しくかえたので、気持までしゃんとしたような気がした。そしてこの日のためにあらかじめ、寺田先生が生前に使っておられたシルクハットを借りてあったので、それをかぶって出かけた。

九時半に低温室へ行ってみると、戸田君たちは、一晩の徹夜にもかかわらず、大元気で昨日決めたとおりにちゃんと仕事を進めていた。顕微鏡を覗《のぞ》いてみると、いい結晶がもう二つもできていた。その後一時までの手配を今一度皆に確認してもらって、私は居室へ行って、十一時から十二時までの間、椅子を並べて身体を横にしていた。万一の用心のためである。

十二時に今一度低温室へ行ってみると、実験は規定したとおりに進んでいる。それで幾分安心して、一時の検査を早々にすませて、中央講堂へ急いで行ってみた。広い講堂の床の上に、百人近い人の立つ場所が、個人ごとにマークしてある。その自分の場所を探して、そこに立って待っていた。ところが驚いたことには、二時まで全くなんということもなく、ただ立っているだけなのである。当時の日記をみると「一時中央講堂、二時二十分まで立って待つ。之《これ》も全く何の意味もなく待たす也。宮内官が来て一応名と人を照合する丈《だ》け十分位ですむ。一時間は全く無意味也。此の様にする事を尊皇精神と思う様也」とある。結晶がどうなっているか、気が気でない状態が、この字句の裏にちゃんと見えるのも苦笑ものであるが、この時は苦笑どころの騒ぎではなかった。しかしそれにすぐ引き続いて「二時二十五分陛下入御、列立拝謁は一分位陛下の竜顔を直視出来るので有難し。御肥りにて御色よく光輝く許り也。万歳也」という一句がある。当時の心のはずみが思い起される次第である。

八

日記は次のように続いている。

それより走って低温室に帰り室に入って見る。二号と三号との分は駄目。一号BとC良し。角板と樹枝と二種出来おり見事なり。胸がドキドキする。五十分がかりにて結局全部とととのえ外へ出て見ると陛下の御車がもう前に来ている。あわてて事務室にかくれ防寒服を脱ぎ、実験室にて御待ちす。御説明全文（略）

陛下の御熱心なる事には恐懼《きょうく》。いちいち写真を見て頷《うなず》かれ、またいちいち各句切りごとに「アア」とか「ウン」とか御声をかけ頷れたのには驚いた。わずか三尺も離れていぬ所での御説明で、写真はいちいち棒にてお示しする。御付きの方々大勢。皆シーンと静まり返り、自分の声がなんとなく澄んで響くようだった。

御説明後急いで事務室に帰り、防寒服を着て先に低温室内に入り、電灯をつけてすっかり準備をして御待ちす。陛下も同様な防寒服、頭巾《ずきん》、頰の御色鮮か也。靴は赤皮長クツ。顕微鏡御説明申し上ぐ。御興深げ也。一応すんで、結晶の出来ていない装置の顕微鏡まで御覗きになる。困る。二分以内との御達しに付「もう御説明申し上げることは之丈けで御座います」と帽子をとって御挨拶《あいさつ》申し上ぐ。やっと御帰りになる。

一緒に室内に入られし方、松平宮相、湯浅内大臣、鈴木侍従武官長、侍従一方《ひとかた》、武官一方、五人の由。松平宮相「何度ですか」との問いに「零下二十五度で御座います」と答えたら「案外寒くない気持よい位だ」との御話也。

急いで外へ出て御見送りす。これから工、医両学部へ御成り。待っている間に、柳、大賀、田所氏等に雪の結晶を見せる。皆綺麗《きれい》にできたと大喜び。なんだか急に肩が軽くなりヤレヤレ也。
　ありがたい事也。
柳田、戸田君等一同来、低温室内と天覧室とで記念写真をとる。
夕食に御祝、酒盃に四杯のむ。

九

　盃に四杯の酒というのは、六か月ぶりのことであった。四月ごろから身体の調子が悪く、食後に胃が痛んで、ひどく痩《や》せてきた。胃潰瘍《いかいよう》とか、十二指腸潰瘍とか、慢性腹膜とか、いろいろの診断があったが、結局長期の療養が必要であることは観念していた。それで八日の大任を終えると、すぐ一家をたたんで伊豆《いず》の伊東《いとう》へ行く準備にかかった。そしていっさいを放り出して、月末には伊東へ引越してしまった。
　伊東の温泉と南海の雑魚《ざこ》とが、私に再び活力を吹き込んでくれた。療養二年、その間時々札幌へ帰って、まとめて少しばかり講義をしてお茶を濁していた。その間に北《ほく》支事変《しじへん》の勃発をみて、貸別荘の窓から、召されていく若者たちを送る「歓呼の声」をきく日がつづいた。それらの歌声は、暗い道路の遠くからひびいてきた。そしてわれらの祖国は翌昭和十二年の十一月には、日独伊防共協定にまで突入したのであった。その発表があって数日後、熱海《あたみ》の蜜柑畑《みかんばたけ》で、小春の陽光を浴びながら、今内務大臣をしている植原悦二郎氏とちょっと話したことがあった。当時政界から全く除外されていた氏は、淋《さび》しそうであった。その時の話の中で「いよいよ世界を敵とすることになりました。天皇陛下はさぞ御心配なことだろう」という一言が、ずっと後まで頭に残った。

南京《ナンキン》陥落の提灯《ちょうちん》行列も、徐州《じょしゅう》会戦のお祝い騒ぎも、伊東で見聞した。張鼓峰《ちょうこほう》事件《じけん》で、無駄な心労を経験したのも、この療養生活の中でのことであった。しかしそのころ、昭和十三年の秋ごろになって、武見《たけみ》国手《こくしゅ》の診断と療法とが顕著な功を奏して、さすがに頑固だった私の病気も、あっさりと退散してしまった。しかし三年越しの病気のあとのことでもあり、今までの仕事をまとめるにも、伊東にこもっている方がよかったので、札幌と伊東と半々の生活をしばらくつづけることにした。そして書き上げた論文を、つぎつぎと欧州とアメリカとへ送った。日米親善が一部にやかましく論ぜられて、生花使節だの、人形使節だのが、盛んにアメリカへ渡っていた時代のことである。

一〇

そのころたまたま英国のネーチュア誌が、私の雪の紹介に、四頁を割《さ》いてくれたことがあった。それが機縁になって、米国のサイエンス・サーヴィスが、広く米国内に「人工雪」を紹介してくれた。ラジオでまで放送してくれたそうである。昭和十三年の暮から、十四年の正月にかけてのころである。

昭和十四年といえば、日華事変《にっかじへん》がますます拡大し、その七月には日米通商条約の廃棄通告があったくらいで、日米両政府間の空気は、大分険悪になっていたころである。しかし科学と科学とのつらなりには、まだまだ温いものが残っていた。そしてその秋には国際雪氷委員会《インターナシヨナルコンミツシヨンオブスノウ》の第二回総会が、シカゴで開催の予定であった。

ネバダ大学にあるその本部から、私に総会への出席をすすめてきた。出席したい気もあったが、病後のことでもあり、どうしようかと考えていたところに面白い申込みがあった。それは東宝で「雪の結晶」の文化映画を作りたいから、結晶の生長するところを顕微鏡映画に撮《と》らせてくれというのである。そこで思いついたのは、思いきった学術的な映画を作って、それに英語のアナウンスを入れて、映画を自分の身代りに総会へ出席させるという案である。東宝へ相談してみたところが、全部無料で作ってあげましょう、その代り日本語版は国内で上映することにするという話になった。一巻物でも少し凝ると、二万円くらいはかかるそうである。当時の二万円というのは、大学の私の研究費の十年分に相当する額である。それを無料で撮ってくれるというのは、たいへんありがたいことなので、早速とりかかることにした。

二月三月をそのために、札幌ですごした。今は日映の重役になっている吉野馨治君が、カメラマンとして、猛勉強をしてくれた。二カ月の低温室生活で、吉野君は一貫五百匁《もんめ》痩せたそうであるが、やっと一巻物ができた。それに英語のアナウンスを入れて、ようやく夏に入って「スノウ・クリスタル」一巻が出来上がった。

二

その七月に、例年の帝大総長会議があった。そして恒例の御陪食を賜わった時に、総長がたいへん光栄な御言葉をうけたそうである。その席では各大学の総長が、その年の自分の大学の研究状況を、それぞれ御説明することになっているのである。それで私の方の総長が「陛下が先年御はいりになった低温室内の人工雪は、その後進歩して唯今映画に撮り、米国の学会へ送るところでございます」という意味のことを申し上げたそうである。そうしたら陛下から「その映画を見たいものだ」という御諚《ごじょう》があった。

陛下からそういう御言葉があるというのは、当時としては異例なことであったので、大学としても恐懼して、その手順をとった。東宝でももちろん感激して、現像にも特別の注意を払って、英語版の立派なものを一本作って献上することになった。河原田文部大臣の時であったが、文部省で大臣に説明しながら一度試写をして、それを宮内省へ届けてもらった。

その後二、三か月経ったころ、宮内省からそのフィルムが送り返されてきた。手紙がついていて、それには、陛下は御覧になって御満足の御様子に拝せられた。そしてこの映画は広く一般に見せるようにとの御思召しがあったので送り返す。そのつもりでなるべく広く見せるようにという意味のことが書いてあった。昭和十四年の秋、英独開戦直後ころの話である。そういう時期に、英語版の学術映画に対して、そういう御心遣いがあったことは、一般に知っていてよいことであろう。

シカゴの総会は、その年の九月に開かれた。英独間にすでに宣戦の布告《ふこく》があったので、独、波方面の学者は、もちろん参列しなかった。しかし学会は相当盛大に催され、

「スノウ・クリスタル」も評判がよかった由で安心した。ちょっと面白いと思ったのは、その学会に私は出席したのと同様に取り扱われたことである。その学会の報告には、アナウンスの英語がそのまま載っていた。そしてそれに米国の学者たちの討論《ディスカッション》までがついていた。学会からは感謝の決議文が届いた。

二

その後二年にして、我が国は太平洋戦争に突入した。私たちの雪の研究も、もっと実用的な形をとるべく変貌《へんぼう》せねばならなくなった。そして低温における航空気象の問題が採り上げられることになった。十年来の雪の研究は、もちろんその方面にも、間接的に役に立った。

悪夢にうなされたような三年半が過ぎた。その間戦時研究に追われながらも、助教授の花島君が、結晶形と気象条件との関係という、一番骨の折れる仕事を完成してくれた。そして今ではある特定の形の結晶を、特定の時刻に、ほとんど間違いなく作ることも可能になった。雪の結晶を人工で作ることと、指定された実験で望みのものを作ることとの間には、五年あまりの年月が必要であったのである。天皇陛下を低温室内に御迎えした日の苦心も、今では昔語りになってしまった。めでたい話である。

話は昨年、すなわち昭和二十一年の秋にとぶ。終戦後一年を経て、ようやく混乱もおさまりかけたかと思うころ、鉄道のストライキ騒ぎで、また不安がもり返してきた。その九月の初めごろ、ちょっと長い旅行から帰ってきたら、東大の小谷教授から手紙が来ていた。東宮職の方で君に殿下へ雪の御進講を希望しておられるが、都合はどうかという問合わせである。そして時期はいつとは決めないから、上京のついでの時に、一度機会を作って欲しいと書き添えてあった。誠にありがたいことで謹んで御受けするという返事を書いた。それにしても、わざわざ出かけてくるには及ばない、いつでも上京のついでの時でいいという御鄭重《ごていちょう》な御話が、かえって私の頭の奥に淡い陰を残した。戦前の華やかだった日本の国の姿が、ふと心に蘇《よみがえ》ってきたからである。

早速出張のことについて、総長に相談してみたところ「外《ほか》のこととはちがうから、いつでも上京して差支えない。旅費のことなども心配しなくてもいい。本部の方で扱いましょう」という話であった。

打合わせがすっかり済んで、十月の末に御伺いするはずになっていたところ、やむを得ぬ事情のために、一月ばかりおくれて、十一月の末になってようやく上京の運びになった。途中狩太《かりぶと》の研究所へ立ち寄ったら、戦時研究時代から世話になっていた吉村のおばさんが、たいへん喜んで、赤飯をたいてくれた。

一三

東宮殿下は小金井《こがねい》の東宮職の中に起居され、学習院の生徒たちと同じ教育を受けておられた。中等科の一年生としての一般教育は普通どおりに受けられ、その上ヴァイニング夫人の英語をはじめ、いろいろな人の進講を御受けになるので、相当重い御負担のようである。それでも非常に御元気で、丈夫にすくすくと御成長になっているように拝せられた。

広い武蔵野《むさしの》の平野を見渡す一隅に、二千六百年記念式に使用された建物の一つを移し、その中の一部が殿下の御教育に使われている。寒いがらんとした広い部屋が、御進講の間である。そこで御待ちしていると、学習院の制服姿の殿下は、元気な足取りで、さっさっとはいって来られた。そして御椅子の前にちゃんと直立されて「遠いところをわざわざ御苦労でした」と、元気な可愛いい御声で挨拶をされた。

雪の結晶の御話をするには、どうしても顕微鏡写真を御目にかける必要がある。それで幻灯を使って御話することにした。北海道における天然雪の各種の結晶の研究から、人工雪の製作に到る研究の課程、それに完成した人工雪と天然雪との比較というふうに、順序を立てて充分な御説明をするには、七十枚ばかりの幻灯板を使う必要がある。それには少なくも一時間はかかる。暗室内で一時間も講義をされては、大学生でも疲れてしまう。それで明室映写幕を用いて、明るい部屋のままで、幻灯を御目にかけることにした。

この明室映写幕というのは、東大の清水武雄博士が、理研《りけん》の研究室で完成されたもので、世界最初の発明品である。全く清水博士の独創によるもので、過去十数年にわたる苦心の結果、最近に到ってようやく完成されたものである。世界に誇るべき文化日本の優秀発明品なのである。この映写幕は、四、五年前に一応の完成を見たのであるが、その後細《こまか》い改良をたびたび加え、最近にさらに一大改良を施されて、完成品として世に送り出されようとしている矢先なのである。その映写幕を初めて東宮殿下に御目にかけることができたのも、仕合わせなことであった。

一四

雪の話は、もうこれまでに何回となくしたものである。それに研究の経路を主とした話なので、小学校の生徒から大学の物理学科の卒業生までくらいの広い範囲の聴衆に、適当に調子を合わせることができるような便利な話である。

初めは中学一年生としての殿下を考えて、そのつもりで御話をし始めたのであるが、十分ばかりするうちに、殿下の学力がもっとずっと進んでおられることが分った。ちゃんと正座して、熱心に御ききになっているのであるが、急所急所をよく御理解になり、そういう点によく興味をおもちになっている節《ふし》が感ぜられた。それでだんだん程度を高くして、だいたい中学の上級生くらいを相手とした御話をしたのであるが、殿下はよく御理解になれたようであった。

比較的困難な実験が、例えば雪の結晶の一つ一つの目方を測るというような実験が、ちょっとした工夫によって、巧《うま》く行くというところなどを御説明申し上げると、いかにも御意に召すらしく、御可愛ゆく微笑をされた。そして陪聴《ばいちょう》の御用係の方たちの方へ笑顔を向けられ、面白いねというふうに同意を求められるような御様子を示された。

つい話に気がはいって、一時間半近い御進講になってしまったが、その間殿下には御つかれの御様子もなく、熱心に御ききになっておられた。御可愛ゆく、御聡明《そうめい》で、かつ御健康な殿下のことは、新聞や雑誌ではたびたび見ていたが、今度眼《ま》のあたりに拝して、考えていた以上に、頼もしくまたありがたい気がした。こういう御進講を申し上げることのできたのも、全く雪のお蔭である。

一五

この大任を果したのが、十二月四日のことであった。あと数日して帰任しようと思っていたところが、意外な話が出てきた。

今度の御進講のために、幻灯板と他に英文の天覧映画も持って上京したことを、武見氏に話しておいた。それが吉田首相に伝えられ、この機会にマックアーサー司令部の人たちにも見せてはどうかという話なのである。これもたいへん名誉な話なので、早速御受けした。そして十二月九日の晩、外相官邸で皆さんに見てもらった。

来賓《らいひん》はオブライエン少将、ケリー博士ら経済科学部の主な人たち四人、それに日本側からは、首相のほかに大金侍従長、山崎文部次官、仁科博士、経済安定本部の科学方面の顧問教授たち、武見氏らが出席された。明室映写幕を外相官邸の立派な応接間へもちこみ、煌々《こうこう》たる電灯の下で、「スノウ・クリスタル」を映写して見せた。この映写幕には、米国側の来賓もたいへん驚かれたらしく、驚嘆《ワンダフル》すべき発明であると言っておられた。そのあと三十分ばかり、幻灯で人工雪の写真を見せて、晩餐《ばんさん》になった。

その席上でも、日本の科学は予期以上に進歩している点もあると、ケリー博士が賞讃《しようさん》された。首相も大いに御機嫌のようであった。

ところがその会合がすんで、御いとましようとしたら、侍従長から、この機会に天皇皇后両陛下にも、この映写幕と幻灯とを使って、御進講をしてもらえないかという御話があった。全く思いがけない光栄な御沙汰《さた》なので、謹んで御受けすることにした。以前に低温室の中で、辛うじてできた雪の結晶を御目にかけて以来、もう十年の年月が経っている。その十年間に国の姿はすっかり変り、われわれの頭上には、恐ろしい嵐が荒れ狂った。脇道の苦しい仕事もずいぶんあったが、その間にとにかく脈々としてこの雪の仕事が今日まで続けられ、かなりの進歩が得られたのである。今その間の研究の成果を、再び陛下に御進講申し上げる機会を恵まれたことについて、私は冥加《みようが》という言葉をふと思い出した。

一六

両陛下への御進講は、十二月十一日の午後、宮中表拝謁の間で申し上げることになった。午前中に幻灯器と映写幕とを拝謁の間に運んで、テストをしてみた。両陛下の御椅子を前にして、電気工夫まがいの仕事をするのが、妙に周囲の空気とくいちがって見えた。

この御部屋へこういう器械が持ち込まれたことは、全く初めてのことだそうである。宮中のことであるから、電圧は大丈夫と思っていたが、測ってみたら九十ボルト近くまで落ちていた。この拝謁の間にだけは、小さい電気ストーブがはいっていたが、それでもずいぶん寒かった。控の間で昼食を頂いたが、スチームが全然通っていないので、どこも非常に寒かった。侍従の方が「かまいませんからオーバを着ていて下さい」とすすめられたので、遠慮せずに、襟巻と外套ですっかり身ごしらえをした。東京の十二月、火の気なしのコンクリートの建物では、それもやむを得ないのである。

頂いた昼食などもきわめて簡単なものであった。すべての様子がきわめて御質素で、おそらく一般国民の想像以上であった。もともと宮中は、以前から御質素であったそうである。昭和十六年の五月、人工雪の研究で学士院賞をもらった時に、千種間《ちぐさのま》で御賜餐にあずかったことがあるが、その時にもこの感を深くした経験がある。太平洋戦争勃発の半年前のことで、いわゆる国威隆盛の極にあった時の話である。その時代でも、その晩某侯爵邸に招かれた時の方が、御馳走《ごちそう》といい調度といい、昼の御賜餐の十倍くらい立派であった。もっともその侯爵邸の晩餐でも、ロンドンのサヴォイホテルの普通の晩餐程度のもので、そう格別に驚くほどのことでもなかったのである。

侍従の方たちと、お茶をいただきながら、今度上京の途中で赤飯をたいて祝ってくれたところがあったが、その人たちにこういう話をしたら驚くことでしょうという話をした。そうしたら「地方ではまだそういう人があるのでしょうかね」と、その中の一人が感慨深そうに洩《も》らされた。その語調には、むしろ私が意外に思うほど沈んだひびきがあった。

一七

御進講は午後二時からであった。天皇陛下は茶の背広を召され、皇后陛下はよく新聞の写真などで拝見する古風な御服であった。両陛下御並びで御座につかれた。晴れた明るい日であったが、明室映写幕は非常によく写った。七十枚の幻灯を全部使って、十年来の研究の結果をくわしく御説明申し上げたが、最後まで御興深げにおきき頂いたので、たいへんありがたく思った。

御進講がすんでから、その席で紅茶とビスケットとを頂戴《ちょうだい》しながら、宮内大臣や侍従長なども御一緒で、補足的な御話を申し上げた。天皇陛下からは、結晶の樹枝状発達と湿度の過飽和との関係とか、北海道の雪と本州の雪とのちがいとか、『雪華図説』の著者の土井利位《どいとしつら》の雪華研究の方法とかいうような点について、いろいろ御下問があった。皇后陛下からは、雹《ひょう》と霰《あられ》とのちがいについての御たずねがあった。生物学に御熱心な科学者としての天皇陛下と、それを援《たす》けられる皇后陛下との御姿を、眼前に拝したような気がした。侍従長から、「この明室映写幕にしても、雪の人工製作にしても、アメリカその他の国で、どうしてやらないのでしょうか」という御話があった。「両方とも手先が器用であることが必要なので、そういう点で日本人向きの研究かと存じます」と御答えすると、陛下は珍しく声をたてて御笑いになった。

人工雪がまだ外国で作られていないと申し上げたのは、私がこの時はまだ知らなかったので、この十一月二十五日の News week に、アメリカでも同じような人工雪が最近できたという記事が載っていたことを、今度の上京から帰札して初めて知った。新聞記事のことであるから、詳しい実験方法などは分らないが、「日本の学者と一致した方法で」と書いてあったから、多分似たようなことなのであろう。

一八

無事に御進講を終えて、控の間で幻灯の整理などをしていたら、侍従長がおみえになって、また意外にありがたい御内意を伝えられた。それは呉竹寮《くれたけ》の義宮や内親王方にも、この幻灯を見せてもらいたいという御思召しがあるという御伝えなのである。そして帰任の都合もあることだろうから、明日にでもという御話であった。

翌十二日の午後三時、学習院から皆様御帰りになるのを待って、呉竹寮の方へ参上した。簡素な木造平屋建の一棟が呉竹寮であった。御話は義宮様や内親王方の御遊びの間らしい、広い板張りの部屋で申し上げることになっていた。札幌などの幼稚園とほとんど変らない質素な御部屋で、ピアノと小さいオルガンと電気蓄音機とがおいてあるだけで、なんら特別の装飾などのない簡素な御部屋であった。硝子戸《ガラスど》のすぐ外が芝生になっていて、暖い陽の光がさしていた。

しばらくおまちを願って、幻灯の準備をしていたら、宮様たちが芝生の上でジャンケンなどして御遊びになっている声がきこえた。竹屋女官長がみえて「義宮様は初めて幻灯を御覧になるので、さきほどから幻灯というものはどんなものかと、たびたびおききになっています。たいへん楽しみにしておいでになります」という御話であった。「前に一度ニュースは御覧になったことがあるので、あれの動かないようなものですと申し上げているところでございます」と女官長は微笑みながら話された。

一九

すっかり準備ができたのでお待ちしていると、義宮様を先頭に、孝宮様、順宮《よりのみや》様、清宮《すがのみや》様と四人お揃いで、御機嫌よくはいって来られた。義宮様は初等科五年生と承っていたが、御席につかれる前に「今日は御苦労でした」と可愛いい御声で挨拶をされた。中等科四年生の順宮様は、ノートを御出しになって、筆記の用意をされた。孝宮様はもう高等科一年になっておられるので、いかにも姉宮様らしく、まだ初等科二年のお小さい清宮様の御椅子などを直されながら、すぐそばにお座らせになった。

初めから幻灯を使いながら、約一時間ばかり御話をした。孝宮、順宮様方には充分お分りになる話である。しかし初等科の義宮様特にまだお小さい清宮様は、御退屈にならないかと心配していたのであるが、おききになっている御様子では、たいへん御興味がありそうであった。それで安心して予定どおり、一時間あまり御話を申し上げた。まだ初等科二年生の清宮様が、きちんと椅子に腰かけられて、御行儀よく初めからお仕舞まで、ちゃんとお聞き下さったのにはすっかり感心した。御話の前に、その点が少し心配だったので、お附きの方に伺ったら「清宮様はまだお小さいが、たいへん御利発だから多分お分りになりましょう」ということであったが、そのとおりであった。御話がすんで、控の間で夕飯を頂戴していたら、女官長がみえて「宮様方はみなさんたいへん御満足の御様子です。義宮様はニュースはあまり早く動くのでよく分らなかったが、幻灯というものは、たいへんいいものだとおっしゃっております」という御話であった。

照宮様にも前に札幌で雪の写真を御目にかけて、御説明を申し上げたことがある。今度の上京で、皇室の方々が、両陛下をはじめ、皆様科学に深い御理解と御興味とをおもち下さっていることを知って、たいへんありがたいことと感激を深くした。

二〇

日本の科学者は、従来もまた現在も、ひどい逆境におかれている。政府からも国民からも、適当に敬遠されながら、冷遇されている。というよりも無視されていると言った方が当っているかもしれない。私などは、その中では非常に運のよい方で、分にすぎた名誉と光栄とをたびたびこうむっているが、考えてみると、まことにありがたい次第である。

大雪山の雪

昭和二十二年の秋の話である。

そのころ私は、資源関係のある会の委員をしていて、日本の水資源の調査を一部やることになっていた。敗戦後の日本に残された資源のうちで一番大きいものは水であるから、これは少し真面目にやってみる必要がある。というので、柄《がら》にないことを始めたわけである。

ところで水資源のうちで、一番大きいものは、日本では、まず雪であるということに気がついた。これは我田引雪の話ではなく、日本が世界的に見ても、非常に雪の多い国であることは、小学校の生徒でも皆知っている。それから雪が解けると水になることも、改めていうと叱《しか》られるくらい明白なことである。それで日本の国で水資源を論ずるとしたら、雪を真先にとりあげるべきである。

ところが日本には、昔から妙な習慣があって、雪というと、必ず害という字をつけないと、気がすまないことになっている。雪害対策、雪害防止委員会、白魔などと、雪はひどくきらわれものになっていた。しかしこれは日本だけの話であって、外国ではその反対のように取扱われている場合が多い。

例えばアメリカで、このころ流行の綜合《そうごう》開発というのは、冬の間に高山地帯に積った雪が、春さきになって解けて川へ流れ出る、その水をダムによって貯えておいて、それで発電をし、かつ年間を通じて平均にこの水を、水道や灌漑《かんがい》に利用しようというのが、その主眼である。スイスでも、最近のことであるが、アルプス全山に積った雪の雪解け水を利用して、大発電事業を起そうといって、調査が始められている。

それで世界の雪の本場である日本でも、もうそろそろ雪害意識から脱却してもよいころである。いったい、日本アルプスに積っている雪が何兆トンあるか、だいたいのことでもいいから見当をつけてみろといっても、誰も一言も答えられないのだから、誠に妙である。山にある雪は、とけて水になって流れ落ちる時に、あれだけの雪を山頂まで持ち上げるのと同量のエネルギーを出してくれる。このエネルギーは水力電気として使うのが一番有利なのであるが、それはたいへんな電力にかわるのである。白《はく》がいがい《〔皚々〕》の連山などと、詩情を喜ばせていてはいけないので、あれは全部お札が積んであるようなものである。日本の国の一番の財産であるのに、その勘定を今まで一度もしたことがなく、春になるとほとんど全部ただで海へ流してしまっていたわけである。

それで手始めとして、北海道の石狩川《いしかり》の水源地帯である、大雪山《たいせつざん》に白羽の矢を立てて、そこでこの雪量測定をすることにした。もっとも大雪山全体では、あまりにもことが大きくなるので、上流地域におけるその支流の一つ、忠別川《ちゅうべつ》を選定し、その水源地帯に積っている雪の全量を測ってみることにした。そしていろいろ計画を立ててみると、どうしても、全地域の航空写真が必要であるという結論に達した。全地域をいくら克明に調べて廻《まわ》っても、けっきょく線の上の話であって、面上に分布している雪の姿を、すっかり見ることは、到底できない。おまけにこの地域は一般スキー家はもちろんのこと、熊狩りの猟師も行けないという恐ろしい場所が、大部分の面積を占めている。それで地上測定は、もちろんできるだけやるが、一方航空写真をとってもらって、それと比較検討して、全貌《ぜんぼう》をとらえようということに話がきまった。

地上測定の方は、当時北大の私たちの教室にいた菅谷重二博士が受けもつことになったが、航空写真の方は、総司令部へ頼むより仕方がない。それで天然資源局へ出かけていって、こういう航空写真をとってもらえないかと頼んでみた。すると初めはひどく叱られた。終戦後二年しか経っていなかったころだから、とんでもないことを言ってくる奴がいたものだと思ったのであろう。もっとも理由なく叱られたのではなく、航空写真というものは、非常に面倒なもので、大型の飛行機を使い、写真測量機の調整にも何週間とかかるものである。そう簡単に頼みにくる筋合のものではないのだと、たしなめられた次第である。

　考えてみれば、チャムスの大学の満人教師が、関東軍司令部へ出かけて行って、日本軍の飛行機を使わせてくれと頼んだようなものだから、叱られるくらいですめば、まだ大いにありがたかったわけである。おまけに時期も悪かった。二合三勺の配給すら欠配がちで、さつまいものつるを食ってる最中に、大雪山の雪の目方を測る話をもち込んだのだから、先方も少しあきれたにちがいない。しかし調査の目的と方法とを詳しく説明して、アメリカでも将来こういう調査を必要とする場合があるかもしれないから、そのモデル調査として、この機会に一度日本でやってみられたらいかがでしょうと、図々しく頼んでみた。そうしたらいろいろ詳しい計画をきいてくれて、「よろしい、承知した。公式ルートで依頼の書類を出せ」と、あっさり承知してくれた。やはり文明人の方が、話が分りやすくていい。

　それで公式の書類を出してもらっておいて、さっさと札幌へ帰り、地上調査の方にとりかかった。ところがいつまで経っても、なんとも通知がない。あんなことを言っても、初めから話が無理だったのだとあきらめて、それでもやりかかった地上調査の方だけは進めておいた。

ところが、六月になって総司令部から、突然大きい小包が届いた。開けてみたら、五百枚見事な航空写真が一杯はいっている。二十五センチ角くらいの大きい写真が、五百枚近く届いたのである。百六十枚で全流域をおおうのであるが、それが三組はいっている。積雪最盛期と、半分解けた時期と、ほとんど解けたころと、希望どおり三回の撮影をしてくれたのである。これには全く唖然《あぜん》とし、かつ感謝した。

写真は実に見事にとれていた。虫眼鏡で覗《のぞ》いてみると、雪の状態はもちろんのこと、一本一本の立木まではっきり写っている。雪庇《せっぴ》の出来工合《ぐあい》、岩山の瘦尾根《やせ》で、雪が風で吹きとばされ岩肌の露出した様子、山ひだの細《こまか》い姿など、手にとるように分るので、文明の利器というものは、実に便利なものだと感心した。それ以来暇があると、この写真を取り出して、虫眼鏡で雪山の姿に見とれる癖がついてしまった。虫眼鏡の視野の中で、一人でコースを選定しながら、眼を移していくと、まるでスキーで自分がこの処女雪の秘境を、自在に滑り廻っているような錯覚に陥ることが多かった。

恐ろしい雪庇が、尾根に沿って、ずっとのび出ている。とてもここは降りられない。探していくうちに、辛うじて降り口が見つかる。その下は軟《やわらか》い粉雪が膝《ひざ》を没するくらいふんわりと積っている。スロープはかなり急であるが、この雪ならば、直滑降だってできそうである。全身をかくすほどの猛烈な雪煙を立てながら滑降していくと、間もなく樹林地帯にはいる。嶽樺《だけかんば》らしい闊葉樹《かつようじゅ》の大木が、すくすくと立ち並んでいる。スラロームを描きながら、この立木の間を縫って、どこまでも滑っていく。ところどころちょっとした崖《がけ》がある。おっと、ジャンプ・クリスチャニア。二十メートルも崖に沿って歩くと、また道が開けている。あと十分も滑降すれば、忠別上流の奥忠別である。水はまだほとんど出ていないので、流れは細い絹糸のように、黒くうねうねと広い河原の中を曲って流れている。こういう奥地へ行くと、私はいつも登りはスキーに海豹《あざらし》をつけて登るのであるが、降《くだ》りはスキーを脱いで、両手で引きずりながら、直歩降をすることにしている。その方がけっきょく速いからである。そして急斜面が過ぎたら、スキーをはいて滑走に移るわけである。しかし航空写真の上では、どんな急斜面でも、自由自在に滑り廻ることができる。スキーの醍醐《だいご》味《み》は、この写真をもらってから、初めて味わったといっていいかもしれない。

もっともこの航空写真は、私の幻想用に役立っただけではない。この写真のおかげで、初めて大雪山の忠別流域に積っている雪が、一億九千万トンあることが知られたのである。この想像を絶する多量の雪は、春になると、雪解け出水として、よく田畑を流し、最後は日本海へ空しく流れ去っている。電力源として使われているのも、この全量のほんの一部にすぎない。

大雪山の雪を電力にかえ、さらに灌漑と工業用水とに使っただけでも、北海道の生産すなわち国の生産は、一挙に上昇し、北海道民の生活程度は飛躍的に上ることであろう。またこれは本州の雪国地帯にも同様にあてはまることである。せっかく総司令部の特別の好意で、その基礎の調査は、少くも一部分はとっくに完成しているのであるが、こういう資料を活用しようという気風が、現在の日本には、ほとんどないようである。しかし雪は今後とも永久に降るのだから、やがてはこういう研究が生きる日も来るであろう。

ジストマ退治

今まであまり思い出のようなものは書かなかったが、私も今年で一人前の年齢に達したので、これからはあまり遠慮しないで、一つそういう話も書いてみることにする。もう二十年近くも昔の話であるが、私は妙な難病にかかって、死に損ねたことがある。それが科学の力でけろりと治って、今では少しにくらしいといわれるくらい丈夫になっている。

科学の力は、科学に縁のない人の方が、余計に信頼しているようである。科学を商売にしていると、どうも楽屋裏の方がよく見えて、あまり信用する気にはならなかった。物理学などが、科学の方では一番いい方であるが、それでも今度の原子爆弾が本当にできるまでは、少々多寡《たか》をくっていた。しかし原子爆弾には心底からおどろいたので、今では物理学を大いに尊敬している。

医学の方も、このごろは、ペニシリンだの、ストレプトマイシンだのというものができたので、大分信用を高めてきた。しかし二十年前までは、西洋医学の方は、少し難病の患者には、あまり信用がなかったようである。その証拠には、心霊療法のようなものが、東京の真中で、立派に大邸宅をかまえて繁昌《はんじょう》していた。医者がどんどん病気を治してくれれば、そんなものが跋扈《ばっこ》するはずがない。

「人間の身体のように複雑をきわめたものは、浅はかな学問の力などでは、どうにもなりません。医者はただ自然治癒をそっと見守ってるだけですよ」などというと、さすが名医だというようなことになる。それほどでなくても、とにかく少し大乗的な話を入れないと、世間はなかなか名医の仲間には入れてくれない。

そういう工合《ぐあい》で、一般には、物理学や化学の方が信用が厚くて、近代医学の方は、少《すく》なくもごく近年までは、あまり評判が良くなかった。しかし私は反対に、近代医学の方を、原子爆弾より十年くらいも前から信用してきた。原因は簡単で、自分の病気が医学のおかげで治ったからである。

話は蘆溝橋事件《ろこうきょうじけん》の前、昭和十一年の昔にかえるが、その年に北海道大学に初めて低温室ができた。その中で早速雪の結晶の人工製作という、前から目星をつけておいた実験にとりかかった。ところが幸か不幸か、その実験が巧《うま》くいって、二か月も経たぬうちに、最初の人工雪が一つできた。

それで私も助手の人たちも、夢中になってその実験に熱中した。それと運悪く、妻の大病と考古学をやっていた弟の死とがぶつかり、私もすっかり身体を痛めてしまった。四月ごろから胃の工合が悪くなり、食後に胃がしねしねと痛んで、ひどく痩《や》せてきた。そしていつでも、胃袋の形とその存在とが自分にも分って、いやな気持であった。しかしその年の夏には、英国の日食班が北海道へ来たので、その案内役をつとめたり、秋の大演習に、天皇陛下を低温室内にお迎えして、人工雪の実験を御目にかけるという大任があったので、無理を承知の上で、ずっと学校へ出ていた。その間登《のぼり》別《べっ》温泉《おんせん》の北大分院へも、三週間ばかり入院して、超短波などというものをかけてみたが、ちっともよくならない。もっとも前から内科の方でも外科の方でも、いろいろ診断をしてもらっていたが、病名さえはっきりしていなかった。けっきょく胃潰瘍《いかいよう》、十《じゅう》二《に》指腸《しちょう》潰瘍《かいよう》、乾性腹膜炎《かんせいふくまくえん》、慢性盲腸《まんせいもうちょう》と、四つの診断が下され、やれやれということになっていた。酒も、煙草《たばこ》も、コーヒーも、肉類も、全部禁止。毎日牛乳ばかり飲んでいたが、もちろんそんなことでよくなるような生やさしい病気ではなかった。

とうとうあきらめて、雪の結晶の天覧がすんで間もなく、何もかにも放り出す気で、さっさと家をたたんで、伊豆《いず》の伊東へ引き揚げてしまった。そのころは、物理学さえあまり信用していなかったくらいだから、西洋医学などもちろん信用する気にはなれなかった。けっきょく温泉に浸《つか》って、あたらしい刺身でも食べる方が一番いい療法だと思ったわけである。あとで聞いた話であるが、そのころ、今の日立の中央研究所長をしている鳥山君が、まだ北大工学部の教授であって、電気学会の会員たちをつれて、低温室へ人工雪の見学に来たことがあったそうである。その時私が説明をするのに、ステッキでやっと身体をささえていたということである。鳥山君が驚いて、当時私と同僚であった茅君に、「中谷君はあれで大丈夫なんかい」と、こっそりきいたそうである。この話は私がすっかり快《こころよ》くなってから、茅君が昔話として話してくれたのであるが、よほど皆に心配をかけたものらしい。

伊東へ来てから、初めのうちは、たいへん調子がよかった。伊豆の温泉と、南国の太陽と、それに鮮《あたら》しい小魚とが、私の身体に、再び生気を吹き込んでくれたような気がした。その冬は案外元気よく過して、しみじみ自然の恵みという言葉を味わった。やはり注射などよりもこれに限ると、西洋医学の方は適当に軽蔑《けいべつ》して、いささか大乗的見地に立ったつもりでいた。そしてひまにまかせて、随筆などを書き散らしながら、大いに南国の冬を讃美して、御機嫌であった。もっとも酒も煙草もコーヒーも、相変らず敬遠して、神妙にはしていた。

しかし、そういう自然療法には、やはり限度があるものとみえて、次ぎの年の春になっても、初めの予想のようには、ちょっともはかばかしく恢復《かいふく》しない。夏になっても、依然としてよくない。もっともそのころになると、自分では病気に馴《な》れてしまっているので、案外平気で、時には東京へも出ていくくらいであった。しかし余所目《よそめ》には、だんだん衰弱していく私の姿が、あわれに見えたらしい。

これもずっと後になって、岩波の小林勇君がめでたい昔話としてきかせてくれた話であるが、そのころ私の初めての随筆集『冬の華』を、岩波から出してもらうことになっていた。そのころはまだ気が小さかったので、小宮さんにすすめられ、かつ適当におだてられて、やっと思いきって「本を出す」気になったわけである。ある日のこと、小宮さんが岩波の主人に「中谷君の本はまだ出来上らないかね。なるべく綺麗《きれい》な本にして、生きている間に見せて喜ばせてやりたいから、少し急いでつくってやってもらえないかね」といわれたことがあったそうである。誰の眼にも、あと半年くらいというところであったらしい。

それでも案外よく持って、その冬も無事に越し、伊東で第二回目の夏を迎えた。伊東の暑さには、前年の夏でこりていたので、その夏は涼しい札幌で過すことにきめて、北大病院へ、今から思えば贅沢《ぜいたく》な入院をすることにした。毎日ベッドの上に静かにねころんでいて、できるだけ御馳走《ごちそう》を食って、腹部へレントゲンをかけていた。これで目方が少しずつでも増していけばしめたものだというので、毎日の食事量を精《くわ》しく記録し、一週間ごとに目方を正確に測ることになった。

ところが心細いことには、目方は一週間ごとに正確に減っていった。初めは汽車の疲れの残効果《アフターエフェクト》だろうということであったが、三週間目も、四週間目も、物理実験のように正確に、一定量ずつ目方が減っていく。こう数量的に正確に、生命の衰えがはっきり見えるのは、あまり気持のよいものではない。どうもこれはいかんぞと、自分でも思うようになった。

そういう悲境の最中に、岩波の小林君から、一通の手紙がとどいた。それが私の病気治療に一転機を劃《かく》したものなのである。その手紙には、小林君もどうも原因不明の妙な病気で、この数か月悩んでいたが、けっきょく肝臓ジストマであることが分り、その治療をしたらたいへん元気になったと書いてあった。そして貴方《あなた》の病気も、どうも肝臓ジストマではないかという気がするから、一つ便を慶応の小泉（丹）さんのところへ送ってみたらどうかとすすめてあった。それで早速、便を少しとって、セロファンで包んで乾かないようにして、航空便で慶応病院あてに送ってみた。当時も東京—札幌間に定期航空路があった。

四、五日したら返事が来た。たいへんな量の肝臓ジストマの卵があるというのである。これも後になって岩波さんからきいた話であるが、小泉さんも少々面喰《めんくら》って、これはたいへんだ、とにかく東京へ呼んでくれ、しかし自信をもって引受けるわけにはいかないと、大いに弱られたそうである。私への手紙には、さすがにそうは書いてなかったが、とにかく東京へ来いと、熱心にすすめてあった。

それですぐ飛び出して、東京へ出てきた。そして岩波さんと小林君とにつれられて、慶応病院へ小泉さんを訪ねた。八月の末のあつい日で、小泉さんは教授室で猿股《さるまた》一つになって、本を読んでおられた。

よく話をきいてみると、とんでもない虫にとりつかれたものであることが分った。肝臓ジストマは、なんといっても内臓の奥の肝臓の中にいるので、薬がなかなか効かず、駆除は従来は不可能ということになっていたそうである。しかしこのごろはファーディンというアンチモンの注射薬ができたので、その注射薬を巧く使えば駆除ができる。現に小林君がそれで治ったが、これは肝臓ジストマ完全治癒の日本でのナンバーワンである。君はそのナンバーツゥになるわけだが、とにかく人間が死ないで虫が死ぬというリミットのところまで注射するので、その身体ではちょっと無理だと思う。とにかくこの病院にまだ助手の人で、武見君というのがいる。この男はまだ若いがなかなかえらい医者だから、よく身体を診てもらって、それからのことにしようという話であった。それだけでもありがたくないのに、「ファーディンというのはドイツの薬で、日本人には少し無理なんだ。前にもこれで患者を殺した病院があったそうだ」と余計な話までしてくれた。乱暴な医者もあったものである。

もっとも私の身体では、話が初めから無理なので、帰ってから岩波全書にある小泉さんの『寄生虫概論』とかいう名前の本を開いてみたら、肝臓ジストマのところには「駆除の方法なし」と書いてあった。これは素人向《しろうとむけ》の本だからと、自らを慰《なぐさ》めておいて、後で伊東で懇意《こんい》にしていたお医者さんのところへ行って、寄生虫の部厚い専門書を借り出してみた。それにはいろいろな注射薬のことが書いてあり、治療例も二、三載っていたが、結論は「駆除は困難だ」というので、がっかりした。アンチモンは毒薬であって、それを虫を殺す程度まで肝臓の内部へ滲《し》み込ませようというのであるから、あと半年という身体では、もともと無理な話であった。しかしけっきょくのところ、このファーディンで、私の肝臓ジストマは完全に退治されたのであるから、西洋医学も決して馬鹿にはならないのである。しかしこの文の初めに、科学の力で難病がけろりと治ったと書いたのは、このジストマ退治の話だけではない。それよりも、もっと面白い話があるのである。

二十年前の武見さんは、もちろん今日ほど有名ではなかった。しかし一部の識者の間には、その科学的診察と治療法とが、すでに認められていた。私はもちろん会うのは初めてであり、名前もきいていなかった。病気にも医者にもすっかりすれっからしになっていた私は、失礼な話であるが、この若い助手の人が、どういう診察をするか、初めは幾分の興味をもって診てもらう気になっていた。

ところが、その診察法が、今までとは、ちょっと様子がちがっていることに、すぐ気がついた。胸をたたくにしても、聴診器をあてるにしても、腹をさするにしても、ひどく丁寧《ていねい》で、何かを探している鋭い心の眼がはたらいているように感じられた。ベッドの上にねかせて、きわめてそっと胃袋のまわりをゆっくりと撫《な》でまわしていたが、そのうちに「ちょっと右を下にしてみて下さい」という。そして右下にねかせながら、同じところを撫で廻《まわ》し、今度は左下にして同じことをくりかえす。そういうことを二度ばかりくりかえしているうちに、この若い医者の顔は、ひどく真剣な怖い顔付になった。

「どうもへんだ。あなたは今朝、朝飯を何時に食いましたか。どれくらい食いましたか」

「八時ごろです。御飯を軽く二杯と、味噌《みそ》汁を一杯と、煮魚を一切れくらいでしょうか」

「そうでしょう。しかし今十時だから、その食物はまだ胃の中にあるはずなんだが。それだけの物が中にあると、右下にしたり、左下にしたりすると、その目方で胃袋が垂れ下らねばならないのに、あなたの胃袋は、周囲の臓器との相対位置《リラテイブポジション》が、ちっともかわらないんです。胃の周囲にひどい癒着《ゆちやく》があるとよりほかに考えられませんね」という。

なるほど、これは重力を用いる実験である。これは面白いと、私はすっかり機嫌がよくなった。「それでは」と武見さんは、真面目な顔をしながら、「今一度脈を拝見しましょう」と、左右の脈所を、両手で握って、ストップウォッチを睨《ね》めながら、しばらく診ている。そしてその姿勢のままで、「それでは二十回深呼吸をしてみて下さい」という。深呼吸の間はもちろんのこと、すんでもいつまでも脈をとっている。おそろしく長い間である。五分間も両手を握ったまま脈をかぞえていたが、やがて「だいたい分りました。あなたの病気は、頭が悪いのだと僕は思いますね」という。これには私も少々毒気を抜かれた。

「胃の周囲にこういうひどい癒着ができるのは、いろいろ原因が考えられますが、間脳の機能が不調になって、植物神経が悪くなると、胃周囲炎《ペリガストリシス》というのが起ることがあって、もっとも滅多にない病気で、ハントブーフにも五行くらいしか書いてない病気ですが、あなたのはどうもそれらしいんです。深呼吸をすると、四つに一つ脈が結滞するんですが、止めて五分くらいすると、また旧《もと》にもどるんです。こういうのは心臓の病気ではなく、植物神経の不調なんです。間脳の治療の方をさきにしなければいけませんね。もっとも植物神経がこんなにやられていると、血管の毛細管のさきがひどく崩れているはずだが、ウルトロパークで一つ見てみましょう」という。

ウルトロパークというのは、ライツ社で売り出している顕微鏡で、普通の顕微鏡のように光を下から透過させて見るのではなく、上から反射させて、光を通さない固体の表面を調べる顕微鏡である。ウルトロパークならば、私の方でいつも手がけている器械で、何年来なじみの顕微鏡である。爪の根本に近い一番表皮のうすいところにセダーオイルを塗って、そこをウルトロパークで覗《のぞ》くと、毛細管のさきの部分が、皮膚をすけて見えるのである。

私の指の先を載物台の上に固定して、武見さんは、一方の手で光源を調節しながら、今一つの手でウルトロパークの焦点を合わせていた。しばらくやっていたが、そのうちに「君、ちょっと覗いてみたまえ。ひどくなってるよ」とうれしそうにいう。あまりありがたくないのであるが、仕方なく覗いてみると、なるほどひどくなっている。本来ならば、毛細管のさきのところは、美しい螺旋《らせん》形になって表皮近くまで来てまた戻っているはずなのに、螺旋形のところが少しも見えない。「なるほど、ひどいですね」と私も調子を合わす。せっかくお医者さんが喜んでいるのだから仕方がない。

「君、これじゃ、癒着だってひどくなるよ。きっと輸胆管《ゆたんかん》のあたりもひきつっていて、胆汁《たんじゅう》がうまく腸へ送られないだろう。そうすると、消化不良だのなんだのいろいろな故障が起きてくるよ。もっともそれだと小便に胆汁がでているはずだが。一つ小便をとってみてくれませんか」

看護婦が、小便の胆汁検査をしている間に、胃周囲炎なる尊敬すべき病気の話をきく。よほど珍しい病気とみえて、武見さんも、あなたが初めての患者で、かつ模範的な症状だと褒《ほ》めてくれた。私もあなたの診察のやり方は、実験物理学の要諦《ようてい》にふれていると褒めておいた。この病気は非常に慢性的な病気で、ここ二年や三年前から始ったものではなく、二十年くらい前からの病気だろうという。「朝起きて、口の中に唾《つば》がいっぱいたまっていた経験がありませんか」ときかれてみると、なるほど中学の寄宿舎にいたころから、そのとおりで、毎朝不愉快な思いをしたことがあったのを思い出した。二十年以上も、機能の悪い間脳を、頭の中に大事にしまい込んでいたのかと、少しがっかりした。

看護婦が小便のはいった試験管をもってきて、反応は著しい陽性だという。これくらいでもよかろうということになって、控室で心配して待っていてくれた岩波さんと小林君に診察室へはいってもらう。「どうですかね。治りますかね」と、岩波さんが例のせっかちな調子できく。「診察は非常にむつかしい病気だが、治療は簡単な病気ですよ」と武見さんは落付いている。

「とにかくこの状態じゃ、肝臓ジストマの退治は、後廻しですね。まず間脳の方を治して、それから癒着をとって、全身の栄養を恢復して、まず三、四か月はかかるかもしれませんね。それからジストマ退治にかかりましょう。なに、ちゃんと薬がありますから、大丈夫です。間脳の方は、ベレルガールで治りますよ。癒着の方は少し厄介《やっかい》だが、枸櫞酸《くえんさん》ソーダが効くと思いますね。胃袋の内面の方はビオトモサンか何かで保護することにすれば、多分大丈夫でしょう」ということになった。

「食物の方は」ときくと、「肉でもなんでも好きなものを食っていいですよ。酒も好きなら少しくらいかまいません。こんな身体で栄養が充分行かなかったら、死んでしまいますよ」といういきわめて頼もしい返事である。

「そうか、そりぁ万歳だ。中谷さん、銀座へ肉を食いに行こう」と岩波さんは凱歌《がいか》をあげて、私と小林君とをひきつれて、銀座へタクシーをとばせた。

三年ぶりに、恐る恐る牛肉を食ってみたが、やはり美味《うま》かった。私も妙に愉快になって、大分肉をくって、身体に力がついたような気になって、意気揚々《いきようよう》と伊東へ引きあげた。あの時「そりゃ万歳だ」といった岩波さんは、もう故人の中に入り、あと六か月のはずの私は、臆面《おくめん》もなくこういう物を書いている。

ベレルガールというのは、妙な薬である。マッチの頭くらいの小さな粒を、二粒だったか四粒だったか忘れたが、それを夜明けの五時ごろにのむ。そうすると、午前中うつらうつらとしてねるでもなく、さめるでもない調子で床の中にいる。もっともこれは多年の懸案が解決した心のゆるみもあったのであろう。一日に一度服《の》むだけであって、その服む時刻が尋常でないのもちょっと気に入った。

枸櫞酸ソーダ入りの粉薬は、毎食後にのむので、これはきわめて尋常である。ところで不思議なことには、約三週間、その半日のうつらうつらをやり、枸櫞酸ソーダをのんでいたら、胃袋の存在がいつの間にか、自覚されないようになってきた。人間の身体なんて、実に簡単なもので、理窟《りくつ》どおりに治るものだと、少し気恥しくなると同時に、それ以来西洋医学をあまり馬鹿にしないことにきめた。三週間に一遍くらい東京へ出てきて、武見さんに診てもらうごとに、「あなたはなかなか名患者だ。よく治っている」と褒められた。けっきょく二か月くらいしたら、もう自覚症状は全然なくなり、小便へ胆汁も出なくなった。

これで準備工作は、一応完了した。これからいよいよ肝臓ジストマ退治にかかるわけである。

胃袋の方は不思議なほどよく治ったが、なんといっても、三年越しの療養生活の後であり、何千匹というジストマは、まだ肝臓の中に頑張っているので、なかなかそう急に全身栄養までよくなるというわけにはいかない。それでまず身体をアンチモンに対して馴化《じゅんか》する方がよかろうということになった。それには、ミルスとかいう和製のアンチモン注射薬があり、これは効きも悪いが、その代り副作用も少いので、それでまず身体を馴らすことにした。

武見さんの考えでは、一日おきに二十五本くらいやればいいだろうということであった。途中風邪をひいたり、おなかをこわしたりすれば休まねばならないので、まず二か月の辛抱を必要とする。もっともこの方は危険はなく、伊東の懇意のお医者さんにやってもらえばよかったので、その方は簡単であった。ただ二か月間、他の事故を起さないように注意するのに、少し閉口した。時々便を調べてもらったが、卵は依然としてたくさんあり、減少の模様も見えなかった。けっきょく二か月かかって、この注射は肝臓ジストマの駆除には役立たないということを立証して、おしまいになってしまった。

　この間身体の方は、依然としてだいたい調子よく、副作用もほとんど見られなかった。もうよかろうということになって、いよいよファーディンにとりかかることにした。この方は十本だったと記憶しているが、四日おきくらいに、臀筋注射《でんきんちゅうしゃ》をするのである。量も多いし、アンプーレも厳《いか》めしいし、それに前からおどかされていたので、ちょっとこわかった。それで最初の一本は、武見さんに伊東まで来てもらって、自分の家でやってもらうことにした。

　もっとも武見さんの方では、自信があったそうである。ファーディンで死んだ例があるという話をきいたので、その副作用を予防するための研究を、猫を使ってやってみたのである。普通こういう副作用の予防には、カルシウムを同時に注射するのが常識になっている。やってみると、なるほど副作用はないが、同時にアンチモンの方も効かなくなるので全く意味がない。それでいろいろ考えた末、ビタミンCとグルタチオンとを同時に注射すると、副作用も少くなり、アンチモンも効くという結果が得られたそうである。それにも何か理窟があったのであるが、くわしいことは忘れてしまった。

　それにしても動かない方がいいというので、床を敷いてその上で、両腕にビタミン

Cとグルタチオン、お尻《しり》にファーディンをやってもらって、そのままぐっすりねてしまった。眼をさましてみると、なんでもない。第一本は見事に成功したのである。これなら大丈夫だというので、二本目からは東京へ出かけ、ちょうど文理大の藤岡君のお母さんが、慶応に入院していたので、その病室の隅を借りて、しばらくねかせてもらうことにして、注射をつづけていった。

五本くらいまでは、何ごともなかった。そして便を調べてもらったら、卵の数はあまり減らないが、少し小さくなったということであった。それに力を得て、だんだん注射を進めてゆくと、幾分副作用が出て来はじめたようである。熱が少し出たり、身体の節々《ふしぶし》が痛んだりして、あまり気持がよくない。薬がだんだん体内に蓄積されるのであろう。しかしこれからが本当に効くのだとはげまされて、我慢して注射をつづけた。便の中の卵がひどく小さくなったから、虫が大分弱ったのだろうときかされ、それを大いに頼りにした。

しかし後になるほど、副作用はますますひどくなる。もっとも小林君の前例をきいてみても、そのとおりなので、そう心配することはないはずであったが、何分《なにぶん》身体の方がひどく弱っているので、大いに心配した。物理の実験とちがって、やり直しというわけにはいかないので、慎重を期する必要がある。

とうとう最後の一本は、武見さんに伊東まで来てもらって、悲壮な決心でやってもらった。細君はのんき者だから、「もうこれでおしまいね。めでたいことね」とはしゃいでいたが、こっちはそれどころではない。夜ねる前にやってもらって、そのままねこんだのであるが、夜中に眼をさますと、骨の節々がひどく痛み、身体中の骨ががっちりと固定されたような感じで、身動きもできなければ、寝返りもうてない。やっとそのままの姿で小便をとってもらってじっと我慢していた。それでもありがたいことには、翌朝は起き上れるようになり、一日くらいでだいたい旧にかえった。人間が死ななくて、虫が死ぬリミットというものは、あまり気持のよいものではない。

それから二、三日して、便を検査してもらうために、例の懇意のお医者さんのところへとどけた。そしたらしばらくして、そのお医者さんが、えらい勢いで家へかけ込んできて、「先生、おめでとうございます。卵は一つも見付かりません。不思議ですなあ」という騒ぎになった。本当にめでたく「科学で病気が治った話」が出来上ったわけである。その後二、三か月して札幌へ帰って、遠心分離器で便の集卵をやってもらったが、やはり完全に卵は見えなくなっていた。これくらいで、私も自分の病気を放免してしまった。

その放免が間ちがいでなかった証拠には、その後健康には全く気をつかう必要がなくなり、もう二十年近くの年月が無事に経過した。その間に今度の大戦争があって、いわゆる戦時研究にずいぶん無理な身体の使い方もしたが、何事もなかった。終戦後の混乱時に、毎月のように、超満員の東北線で東京通いもしたが、それも何事もなかった。けっきょく憎らしいくらい丈夫になったわけである。

ところで、肝臓ジストマも、胃周囲炎も、ともになるべくはかからない方がいい病気である。私の場合は、途中一度も故障なく、順調に治癒したのであるが、それでもまる六か月かかった。このごろのこの気ぜわしい時代には、不向きな病気である。胃周囲炎の方は、原因はよく分らないから仕方ないとして、肝臓ジストマの方は、銀座の某店で鮒《ふな》の刺身を食ったからである。だからああいう危いものは、食わない方がよい。

銀座の某店に罪を帰したのは、次ぎのような調査にもとづいた結論である。第一に私も小林君もともに某店で鮒の刺身を食い、二人ともジストマにとりつかれた。それが第一の理由である。その時はほかにも食った人があったので、その人の便をもらって、小泉さんに調べてもらったところ、無罪であった。ただし鮒によって中間寄生をしているのといないのとがあるので、これは否定の資料にはならない。運が悪いと、刺身の一切れで、百匹も二百匹もいる場合があるそうである。

もっともこれだけでは不充分である。伊東の海魚は時に川にもはいってくるので、ひょっとするとジストマをもっているかもしれない。それで私と同じものを食っている妻の便を調べてもらったが、これには卵はなかった。

今一つ疑問がある。それは肝臓ジストマは七年くらい寿命があるそうであるが、私は郷里の加賀《かが》へ帰ると、鮒の刺身が好きで、よく食ったものである。加賀地方にはジストマはいないということになっているが、それも怪しいものである。ところで巧い人を思いついたのであるが、妻の兄で金沢《かなざわ》に住んでいて、釣が好きで鮒の刺身を常食のようにしている男がある。それでその兄の便を取り寄せて調べてもらったが、これにも卵は全然見付からなかった。

以上の結果から、金沢の鮒でもなく、伊東の刺身でもない確率が大きく、銀座の某店の鮒である確率が非常に大きいという結論に達したわけである。こんなつまらぬ調査をしなくても、今後鮒の刺身さえ食わねばいいはずであるが、二か月間もミルスの注射をしながら、身体をアンチモンに馴らしている間の退窟しのぎに調べてみたことである。

この話の中では、人を殺さないで、虫を殺すリミットの薬とその薬量とは、もちろん科学であるが、患者を実験材料だと心得て診察を行うところの方が、もっと科学的である。科学と非科学との差は、器械を使うか使わないかにあるのではない。何ごとにあれ、眼を開いてものを見るか、眼をつぶって見るかのちがいである。

この話はもう二十年近くも昔の話であり、医学のことは専門外であるから、病状の説明や、薬の名前などは、多少ちがっているかもしれない。記憶ちがいの点ももちろんあるだろう。しかしそういうことは、科学とは本質的に抵触することではないと思って、図々しくこういうものを書いたわけである。

イグアノドンの唄
——大人のための童話——

カインの末裔の土地

終戦の年の北海道は、十何年ぶりの冷害に見舞われ、米は五分作か六分作という惨《みじ》めさであった。豊作でさえ米の足りない北海道のことであるから、この年の冬は、誰も彼も皆深刻な食糧危機におびやかされた。

それにこの冬は、例年にない珍しい大雪であった。毎日のように、暗い空からは、とめどもなく粉雪が降りつづき、それが人々の生活の上に重苦しくおおいかぶさっていた。この雪に埋れた不安な生活の上に、陰鬱《いんうつ》な日々がただ明け暮れていくのを、じっと我慢して春を待つより仕方がなかった。

私たち一家は、この冬を、羊蹄山麓《ようていさんろく》の疎開先で送った。ここは有島さんの『カインの末裔』の土地であって、北海道の中でも、とくに吹雪の恐ろしいところである。「吹きつける雪のためにへし折られる枯枝がややともすると投槍《なげやり》のように襲って来た。吹きまく風にもまれて木という木は魔女の髪のように乱れ狂った」というのは、有島さんの有名な描写である。この荒涼たる吹雪の景色は、今日も少しも変らない。そしてこの無慈悲な自然の力に虐《しいた》げられている人間の姿もまた、往年の名残りを止《とど》めている。

終戦の年の冬は、この自然の猛威のほかに、今一つ食糧危機という恐ろしい脅威《きょうい》が加わっていた。見渡す限りの土地は雪に埋れている。吹雪の日には、雪までも白くはなく、死んだような灰色である。葉の落ちた闊葉樹《かつようじゅ》はもちろんのこと、雪に蔽《おお》われた針葉樹にも、緑の色は全然見られない。この一点の緑もない世界、満目《まんもく》ただ灰色一色の世界では、食糧の不安感が、ひしひしと人の心に迫る。「雪が解けて、たらの芽でもなんでも、青いものが出てくるようになれば」と、人々は遠い春をはるかに望んで、力弱い溜息《ためいき》をもらす。

北海道の長い冬休みを、子供たちとこの疎開先で過した。遊び道具も本もない疎開先の生活で、とくに連日の吹雪の夜など、子供たちはよく私に話をせがんだ。幸い薪《まき》だけは豊富にあったので、どんどんストーヴにくべて、その周囲に皆が寄りそっていた。勢いよく燃える薪の音が、戸外の激しい風の叫びをわずかに押えて、生命の営みを辛うじて表象しているというような夜が、毎晩つづいた。電灯はもちろんうす暗かった。凄《すさま》じい風の音につつまれながら、それは妙に気の滅《め》入《い》る沈黙の世界であった。

失われた世界

子供たちは、もう浦島太郎《うらしまたろう》の時代をとっくに過ぎていたので、話といっても、そう種はなかった。それに本も手近かにはないので、すぐ話の種につまって、大いに弱らせられていた。ところがどうしたはずみか、荷物を片づけているうちに、妙な本が一冊ころがり出てきた。コナン・ドイルの『失われた世界《ロスト・ワールド》』の廉価本《れんかぼん》である。

これはもう三十年も前に、ロンドンでディーケ博士から貰《もら》った本である。オランダの理論物理学者であるが、理研でしばらく一緒にいたことがあるので、その後も親しくしていた。そのディーケがロンドンの学会へやって来た時、ホテルのロビイでこれを読んでいた。そして別れしなに、ちょうど読み終ったこの本を、私に残していってくれたのである。その時はすぐ読んでみて、たいへん面白かったのであるが、それなりに忘れてしまっていた。それが三十年の後に、敗戦後の北海道の僻地《へきち》で、わずかな疎開荷物の中から、ひょっくり現われたのである。

これはまことに大助かりであった。南米アマゾンの秘境、人界から遠く隔絶された「失われた世界」に、ジュラ紀時代から生き残っている巨大爬虫類《はちゅうるい》が棲《す》んでいる世界がある。その秘密を求めて、英国の科学者たちが、敢然魔境《かんぜんまきよう》に踏み入っていく。この「探検記」こそは、カインの末裔《まつえい》の土地で、連夜の吹雪にとじこめられている敗戦国の子供たちにとっては、何よりの贈り物であった。

「この本は、英国のチャレンジャー教授という先生が、南米のアマゾン河のずっと上流のところ、もちろん人間など一度も行ったことのない秘密の世界なんだが、そこへ探検に行った時の報告なんだ。古代の恐ろしい竜《りゅう》だの、怪獣だのがそこに本当にいたんだよ。いつか雑誌で見たでしょう。ディノザウルス（恐竜）なんていう竜の中には、このおうちの三倍くらいもある大怪物もいたんだが、それがのそっのそっと歩いていてね。イグアノドンなんていうのもいたんだよ。ああいう竜は、ジュラ紀といって、一億年以上も昔の時代には、たくさんいたことがよく分っているんだ。化石になって残っているからね。それが今でも生きていて、そういう古代の生物ばかり住んでいる世界が、アマゾン河の上流にはあるんだ。どうだ、今夜からこの本を一節ずつ読んでやろうか」というと、もちろん子供たちは、歓声をあげた。

まだ小学校へ行っている下の男の子などは、もうそれだけで、すっかり上気してしまった。頰を赤くしながら、眼を輝かせて、「本当？　本当？」と、覗《のぞ》き込む。もちろん小説であるから、写真や図などはない。幸い秘境に到る道順を描いたスケッチ地図が、一枚だけついていたので、それを説明してやると、この方は簡単に承服してしまった。

「これが断崖《だんがい》だよ。低いところで千尺、高いところは三千尺もある。真直につき立った岩壁でずっと囲まれているんで、この崖《がけ》の上は、外の世界からすっかり切り離されているんだ。だからこういうところに、古代の生物が生き残っていても、誰も知らなかったわけだよ。もっともこの断崖へ行くまでが、たいへんなんだ。これがアマゾン河の上流で、ここだって普通の船は行かないところなんだ。これからこの支流を小さい丸木舟でのぼって行くんだが、もちろん普通の人間は誰も行ったことのないところさ。それでもこの辺までは、まだ人喰人種がところどころにいてね、道など一本もない恐ろしい密林の奥から、首切りの祭の太鼓の音が、かすかに聞えてくることもあったのさ。しかしこの細くなっているところね、これから先は、カヌーも行けなくなるんで、みんなで荷物をせおって歩いていったんだよ。もうここまで来ると、人喰人種だっていなくなって、人間なんて、全然いないところになっちゃうのさ。ほらここに印をつけてあるだろう。ここで初めてプテロダクティルを見たんだよ。プテロダクティルって、翼のある竜なんだ。戦闘機くらいもあるかな」

ここらあたりで、下の子供はもうすっかり興奮してしまって、すうすうと寝息のような息をしている。そして眼を光らせながら、身動きもしない。二番目の娘も「本当らしいわ。よくそんな本があったね」という。ただ一人、もう女学校にはいっていた長女だけが、なかなか承知しない。「小説でしょう。小説みたいな本じゃないの」と、英語が分りもしないくせに、生意気なことをいう。

科学の素晴らしい進歩によって、人間はもう地球上のことは、何もかも知り尽くしたように思っている。しかしまだ何が隠されているか知れたものではない。『ロスト・ワールド』の恐竜や翼肢竜《よくしりゆう》こそは、さすがにその現存の可能性は考えられないが、それに類する事件は、近代になっても、時々実際に起っている。少し昔の話でよければ、南米の海岸に、牛くらいの大きさの動物で、脚が六本ある怪物の屍体《したい》が、漂着したことがある。大部分腐っていたので、その詳細な記録は残っていないが、そういう怪物が、まだ神秘の大洋のどこかで、ひそかに棲息《せいそく》しているのかもしれないと考えた方が、かえって科学の心に通ずるであろう。

一億年前の怪魚

『コンティキ号漂流記』の著者は、まことに巧《うま》いことをいっている。古代インカ帝国の住民が使っていたのと、全く同じ筏《いかだ》を造って、この若い探検家は、南米からタヒチ島の近くまで、自分で漂流をしてみたのである。そして南太平洋の大洋の真中で、いろいろ不思議な生物に遭遇している。

近代の文明人は、大きいそして強力な汽船を造って、すなわち科学の巨大な力を利用して、七洋を隅なく調べつくしているが、ただ一つ大切なことを忘れている。それはそういう立派な汽船は、船体も大きく、またスクリューの音も大きいということである。近代の探検船では遭遇しなかった怪物を、筏の漂流者が目撃することがあっても、別に不思議ではない。海面すれすれのところに、じっと坐《すわ》り込んで、二か月以上も潮流と風だけに送られて、あの広大な太平洋の真中を漂ってみた人はほかにはいない。そういう人間だけにその姿を見せる怪異な生物がいたとしても、別に不思議ではない。この漂流者は若い考古学者であって、小説家ではない。しかもこの冒険は、今度の大戦後に行われた、ごく最近の話である。

海はあまりにも広く、船が通るところは、そのきわめてわずかな部分にすぎない。しかもわれわれの知識は、海面からごく近いところの水中だけに限られている。深海探測といっても、調べうるところは、海の面積から見たら問題にならない。大洋の唯中、その深所には、何が棲《す》んでいるか、人間の想像の及ぶところではない。その一番良い例としては、先年南アフリカの海底から、少くも五千万年以上、多分一億年くらいの太古の怪魚が、本当に生きた姿で出現した異常な事件を挙げるべきであろう。

それは昭和十三年十二月二十二日のことであった。すなわち日華事変《にっかじへん》が最高潮に達していたころの話である。英領南アフリカ喜望峰《きぼうほう》の近くに、東倫敦《イースト・ロンドン》という小さい漁港がある。その西方数マイルの海底から、トロール網にかかって、不思議な魚が揚《あが》ってきた。全体長一メートル半、目方七十五キロの大きい魚で、全身は青色に輝いた金属光沢を帯び、魚体は脂《あぶら》ぎってぴかぴか光っていた。頭は西洋兜《かぶと》のような形をし、胸および腹の鰭《ひれ》は、赤児の腕の先に羽がついたような怪異な恰好《かっこう》になっている。さらに著しい特徴は、脊柱《せきちゅう》がずっと尾鰭《おびれ》の真中をつき抜けて伸び出ていることである。いかにも古色蒼然《そうぜん》として、一見古代生物の異風をそなえた曲者《くせもの》であった。この怪魚こそは中生代の白堊紀《はくあき》、すなわち少くも五千万年以上の太古において、すでに地球上からその姿を消していた、総鰭魚類《そうきぎょるい》の空棘魚科《くうきょくぎょか》に属する化石魚であったのである。

この種類の化石魚は、古代生物としても、非常に古いもので、巨大爬虫類《はちゅうるい》のディノザウルスなどが、その怪異な姿を見せていた時代、すなわちジュラ紀よりも、さらに一億年近い太古において、すでに地球上に出現していたものである。最初にこの魚類の化石の現われるのは、古生代のデヴォン紀であって、それは現在の知識では、現代から、二、三億年も昔のことと推定されている。それからずっとこの異魚は、たいした体形の変化もなく、中生代末の白堊紀すなわち、ジュラ紀の次の時代まで、太古の海中に種族の繁栄をつづけてきた。そして巨大爬虫類の怪物たちが、地球上からその姿を消した次の時代には、この魚たちも完全に絶滅してしまったのである。少くも昭和十三年の十二月二十二日までは、そう信ぜられてきていた。

ところがその五千万年ないし一億年以前の魚が、突如として南《なん》アの一角に出現し、暫時《ざんじ》ではあったが、現にこの太陽の光の下で、その生命を見せてくれたのであるから、この方面の専門学者たちはもちろんのこと、世界中の人々をあっと驚かせたのも、当然のことである。当時この話は日本の新聞にも載り、また翌年の『科学』には、詳しい紹介がなされた。それは匿名《とくめい》の紹介であったが、原著よりも分りよい立派なものであった。しかしちょうどその時期は、漢口《かんこう》陥落の提灯《ちょうちん》行列を過ぎて間もないころであった。日本人の大多数は、南アフリカで獲《と》れた奇魚などに、かかわりあってはいられなかった。

この話は、コナン・ドイルとはちがって、本当の話である。その標本は、漁獲後間もなく東倫敦《イースト・ロンドン》博物館の主事ラチマー女史の手許《てもと》に送られた。同女史はこの方面の専門家ではなかったが、その怪魚の異風に驚き、標本のスケッチに簡単な説明をつけて、グラハムスタウンの大学のスミス博士に手紙で報告した。ところが時たまたまクリスマスの季節にあたったために、手紙の配達がおくれ、わずか四百マイルを隔てたスミス博士の手に入るまでに、十日以上の日子《にっし》を要した。そしてことの重大さに驚愕《きょうがく》したスミス博士が、折返し電話で連絡した時には、残念ながら、魚体はすでに腐敗し、外形だけが剝製《はくせい》となって残っていたのである。それでも確かに五千万年以上の昔に絶滅したはずの空棘魚であることは、確認されたのであるが、学問的に最も重要な部分、すなわち内臓その他の軟体部分は、ついに神秘のヴェールの彼方《かなた》に隠されたまま、闇《やみ》から闇に葬り去られたのである。

世界中のこの方面の学者たちは、スミス博士の第一報を、英国の科学専門雑誌『ネーチュア』誌上で知って、驚愕と歓喜との念に打たれ、この発見を「今世紀における動物学界随一の大収穫」とした。まさに文字どおりの奇蹟《きせき》であったのである。この発見の意義が、あまりにも大きかっただけに、その重要部分の喪失は、甚しい失望感をもって迎えられた。その詳細を記述したスミス博士の第二報が、同じく『ネーチュア』誌上に出た時は、世界各国の学者から、激越な批判の手紙がたくさん来たそうである。これは突如幽界からの通信に接して驚愕した人間が、いざ話しかけようとした時に、その通信が切れたような感じである。惜しいといえば惜しいが、またそれでよいのだという気もする。それほどの異常事件なのである。『ロスト・ワールド』の話の前置きとしては、この「化石魚の蘇生《そせい》」の話くらい巧い話は、ちょっと他に類がないであろう。それで第一夜は、子供たちにこの現世化石魚の話をすることにした。ストーヴに薪を追加しながら、南アフリカの海底から突如として出現した、五千万年ないし一億年前の太古の怪魚の話を聞いている子供たちは、戸外の吹雪も、乏しい食糧のことも、すっかり忘れたようであった。

幸いその詳しい紹介の載っている『科学』が手許にあったので、一通り話をしたところで、写真を見せてやった。剝製にされた怪魚の写真と、ジュラ紀の空棘魚の復原図とを並べたところを見ると、両者は全く一致している。これにはさすがの長女もいささか驚いたようであった。

復原図の方が、もちろんこの現世空棘魚の出現以前に描かれていたものである。化石として残るのは、たいてい硬骨部分の一部と、その他の部分のかすかな痕跡《こんせき》とである。そういう断片的な材料をもとにして、化石学者たちは、原体形の復原という困難な仕事をなしとげる。それはいわば「小説」をつくるのである。しかしこの場合は、その「小説」にぴったりとあった生きた証拠が出てきたのであるから、その点だけでもまさに驚くべきことである。「ほんとにねえ」と、最後に長女が陥落する。これで

『ロスト・ワールド』の話に、安心してはいって行けるわけである。

アマゾンの秘境

この「探検記」は、チャレンジャー教授の探検隊に参加したデイリー・ガゼットの記者マローン君の手記から成っている。チャレンジャー教授は、癇癪《かんしやく》持ちで、人間嫌いで、時々狂暴性を発揮する人物である。学界からもロンドン人からもひどく嫌われているが、動物学者としては、独創的な考えを持ち、かつはなはだ実行力に富んだ人である。そのチャレンジャー教授は、かつて単身南米アマゾン上流の秘境を探検したことがある。アマゾンの上流は、たくさんの支流に分れていて、その中には、まだ白人の足を踏み入れたことのない支流がいくつも残されている。

チャレンジャー教授は、カヌーに乗って、その支流の一つを遡航《そこう》した。そしてインディアンの部落で、ちょうど今息を引きとったばかりの白人の遺骸《いがい》にあう。そのわずかな遺品を整理して、この白人は、アメリカのデトロイトの市民ホワイトという人であることを知る。画家でありかつ詩人であるこのホワイト君は、アメリカの物質文化に飽き果てた挙句《あげく》、新しい霊感を求めて、アマゾンの秘境を放浪していた男であるらしい。「疲れ切った姿で、クルプリの棲《す》む密林の方から、さまよい出てきて、部落にたどりついた途端に倒れた」という以外には、この男のことは何も分らない。クルプリというのは、南米インディアンの間に広く行き渡っている伝説で、山の精を意味する。この山の精に遭《あ》った人は、再び生きて人間の社会には戻れないと、昔から確《かた》く信ぜられていたのである。

ホワイト君は、死ぬまで肌身はなさず、一冊の写生帳を持っていた。ぼろぼろになったジャケットの下から出てきたこの写生帳が、話の発端である。その中には、いろいろな写生があるが、終りの方に、平原の彼方《かなた》に、切り立った断崖に縁どられた高台の絵がある。そしてその次に、巨大な怪物の写生があって、それでおしまいになっている。そしてそれはジュラ紀の恐竜の一種ステゴザウルスそのままの姿なのである。

初めてチャレンジャー教授を訪れた時、マローン君は、この写生帳を見せられる。そしてランケスター氏の著書に出ているステゴザウルスの復原図とくらべてみて、両者が完全に一致していることにひどく驚いたのである。これが始りで、いろいろな経緯の末、けっきょくチャレンジャー教授を首班とする探検隊が、この失われた世界に出かけ、ステゴザウルスやイグアノドンの生きた姿を見ることになるわけである。南アフリカにおける現世空棘魚《くうきよくぎよ》の発見の話は、このコナン・ドイルの小説を、まさに地で行ったものといえよう。

昨年の暮、英国のエヴェレスト遠征隊が、ヒマラヤで奇怪な人獣の足跡を発見したという記事が、一時新聞紙上を賑《にぎ》わしたことがあった。その時、食卓の話題に上ったのは、この五年前の『ロスト・ワールド』の話である。もう大きくなった子供たちには、「おやじさんの嘘《うそ》」もすっかりばれてしまっていたが、人界を遠く離れた、アマゾンの秘境がもつ特異の妖《あや》しい美しさは、依然として頭の底に残っていたらしい。「ほら、あの失われた世界への入口のところ、カヌーがもう行けなくなるあたりね。あの細い川のところ、あそことても綺麗《きれい》だったわ」といい出したのは、そんなことなどとても憶《おぼ》えていそうもない二女であった。

探検隊を乗せた二隻《せき》のカヌーは、隠された細流の入口に達する。浅黄色《あさぎいろ》の葦《あし》が一面に生い茂った葦叢《あしむら》の中を、数百ヤードばかり無理にカヌーを押していくと、突如として、静かな浅い流れに出る。水は驚くほど透明で底は美しい砂になっている。川幅は二十ヤードくらいの狭い流れであって、両岸の植物は、自然の豪奢《ごうしゃ》の限りを見せている。それはまさに仙境であり、これこそ失われた世界への入口なのである。繁り誇った熱帯の草木は、水面の上に生いかぶさって、自然の天蓋《てんがい》を作り、緑の葉をとおしてくる黄金色の日光は、黄昏《たそがれ》を思わせる美しさである。その青緑のトンネルの下を、緑の静かな流れが行く。流れの美しさは、樹間を洩《も》れる光によって異常な色調を帯び、不思議な美しさを呈している。その輝く水面の上を、カヌーの一櫂《ひとかい》ごとに、数千の漣《さざなみ》が伝わってゆく。それは神秘の国への通路として、まことに適《ふさ》わしいものであった。

コナン・ドイルもこのあたりの描写には大分馬力をかけているようである。どうも御本人自身が、ロスト・ワールドにあこがれているらしいところが大いにある。彼は、いつまでも童心を失わなかった人なのであろう。子供というものは、魚粉と稲茎の粉とのまじった団子《だんご》を食ったことは忘れるが、そのとき聞いたアマゾンの秘境の情景は、なかなか忘れないものである。

ヒマラヤの人獣の足跡

もっともすべての大人にも、多かれ少かれ、この童心は残っている。ヒマラヤの怪巨人にしても、何も今度突然出現した話ではない。昭和十一年に、立教大学のナンダ・コット登攀隊《とうはんたい》が、印度《インド》に遠征した時にも、たいへんな騒ぎが起きていたそうである。ヒマラヤ山麓《さんろく》の村に、身の丈《たけ》四十フィートの怪物が現われ、土地の住民はもとより、全印度人の間に大評判になっていた。この怪物は、汽車をまたいだり、大きい樹木を踏み倒したり、婦女子を気絶させたり、さんざんあばれ廻った挙句《あげく》、再び山中深くその姿を消してしまった。その時足跡が残されたのであるが、それは長さ二十二インチ、幅十一インチもある巨大なもので、人間の足跡に似た形であったという。

ヒマラヤの山中に巨人かゴリラか分らない怪物が棲んでいるという伝説は、土地の人たちばかりでなく、印度人の中でも信じている人がかなりある。昨年のエヴェレスト登山隊長シプトン氏の手記によると、ヒマラヤの住人たちは、この怪人をヤティ(縁起の悪い雪男)と呼んでいるそうである。シプトン氏の案内人の一人は、二年前にこのヤティに遭《あ》ったといっているが、それは半人半獣の怪物で、背丈は五フィート六インチくらい、全身赤味がかった栗色の毛で蔽《おお》われていたが、顔だけは毛がなかったという話である。

シプトン氏が写真に撮った奇怪な足跡を、動物学者たちは、ラングール猿だと鑑定したが、シプトン氏は大分不服のようである。朝日新聞に連載された氏の手記の中から、これに関係した部分を抜萃《ばっすい》してみるのも、興味あることであろう。この足跡を発見したのは、昭和二十六年の十一月八日のことで、エヴェレストに近いメンルンツェの氷河の上である。「われわれは午後三時半、峠の向う側の氷河に達し、南西の方向に下って行った。ちょうど午後四時、行く手の雪の上に奇妙な足跡を発見した」「奇怪な生物は少くとも二頭以上が打ち連れて通ったことが、入り乱れた足跡によって確認された。その大きさはわれわれの山靴の跡よりも幾分長く、幅は非常に広かった。詳しく調べると、三本の幅広い足指と、別に横に張り出した大きな親指とが認められた。われわれはその足跡を追って一マイルあまり氷河を降ったが、氷がモレインに蔽われた場所で、はっきりと切れていた」

この足跡は、写真撮影もされ、また観察者がちゃんとした人だけに、汽車をまたいだ怪巨人の話とは少しちがった意味がある。したがって動物学者たちも、放っておくわけにはいかない。鑑定の結果、ラングール猿ということになったのであるが、これに対するシプトン氏の反対意見には、もっともなところがある。

第一に、ラングール猿は菜食動物であるが、高度一万九千フィートの氷河の上で、植物は何があるのだろうか。肉食動物ならば、氷河の下部にはモルモットもチベット鼠《ねずみ》も棲んでいるので、それらを常食として生きていけるが、菜食動物は、こういうところでは、生存し得ないはずである。

第二に、ラングール猿の足形は、どんなに大きいものでも、長さ八インチを越えるものは、今まで知られていない。ところが問題の足跡は、十二インチ以上と実測されている。もっとも多くの足跡は形が崩れているので、雪解けのために、幾分大きくなったと考えられる。しかし氷河の氷の上に積っていた雪は、きわめて薄く、かつ足形がはっきり残っていたところから見て、雪が解けて大きくなったとしても、たいしたちがいはないはずである。そこでこの怪物は、既知のラングール猿よりは、遥《はる》かに大きい生物にちがいない。

この議論の当否は、ここで論議すべき問題でない。ただ一つ確かなことは、シプトン氏が「私はこの問題については門外漢で、嘴《くちばし》を入れる筋合のものではないが」動物学者の鑑定には異論があると言った。そのこと自身の中に、彼の童心が認められる点である。

ヒマラヤでは、この前年にも、アッサム州の密林《ジャングル》の中に、体長九十フィート、身丈け二十フィートの怪獣が出現して、住民を震え上らせたという話がある。体長九十フィートのこの怪物は、ジュラ紀の恐竜《ディノザウルス》に似た形をしていたといわれている。ロスト・ワールドの夢は、原子力の世界にも、なおその生命を保っているのである。

イグアノドンの唄

『ロスト・ワールド』の話の中で、一番子供たちに人気のあったのは、大きいくせにおとなしいイグアノドンであった。このジュラ紀の菜食性巨大爬虫類《はちゆうるい》を、コナン・ドイルは原始人類の家畜となし、象の皮膚のようなその皮の上に、粘土のマークをつけさせた。それを地質年代の錯誤と早まってはいけないので、同じ時代の空棘魚《くうきよくぎよ》が、喜望峰州《きぼうほうしゆう》の住民と、先年ちゃんと対面をしているのである。

イグアノドンが、子供たちの間でいかに人気があったかは、次の唄でも十分うかがうことができる。

イグアノドンの背中に
ゴリラが乗ってった　乗ってった
ゴリラの背中に
お猿が乗ってった　乗ってった
お猿の背中に

鼠が乗ってった　乗ってった
鼠の背中に
蚊《か》とんぼが乗ってった　乗ってった
蚊とんぼの頭の上を
艦載機《かんさいき》が飛んでった　飛んでった

このイグアノドンの唄を作ったのは、下の男の子である。自分の国の敗戦も、自分の身体の栄養低下も、実感としては何も知らなかった子供たちは、カインの末裔《まつえい》の土地で、「イグアノドンの唄」をうたって、至極御機嫌であった。しかしその男の子は、その後間もなく、栄養低下が禍《わざわ》いして、仮りそめの病気がもとで、急に亡くなってしまった。しかし生き残った娘たちは今はきわめて元気である。

昭和二十六年の暮から正月にかけて、私は扁桃腺《へんとうせん》の除去と蓄膿症《ちくのうしょう》の手術とのために、K病院へ入院した。二十年来の懸案を片づけるためである。この道では、日本一の名《めい》国手《こくしゅ》と称《たた》えられているK博士の手術を受けるのであるから、なんの不安もなく、経過もきわめて順調であった。

時々妻と交替に附き添いにやって来た長女は、何も用事がないので、初めは少し手《て》持無沙汰《もちぶさた》のようであった。それである日、『ロスト・ワールド』を持ってやって来た。昼寝をするために、夜早く寝つかれなかった私は、十二時ごろまで寝つこうとしないことにして、ベッドの上でぼんやりしていた。時々ちょっと目をやると、長女は夢中になって、読みふけっている。「どうだい、面白いのかい」ときくと、「うん、とっても」と、返事をするのも億劫《おっくう》なように、頬をほてらせている。

「分るのかい。大分むつかしい名前があるだろう」といっても、「そうよ。でも辞書なんか引いていられないのよ。今失《ミッシング》われた連鎖《リンク》がやって来るところよ」と、受け附けもしない。もう夜中近いらしい。それでよいのだ、生きる者はどんどん育つ方がよいのだと、私は目をつぶって寝入ることにした。

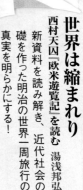

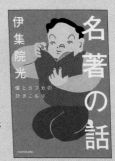

寺田研究室の思い出

実験室における寺田先生のことを書こうと思うと、私はすぐ大学の卒業実験をやった狭い実験室のことを思い出す。

それは化学の新館と呼ばれていた、小さい裸のコンクリートの建物の一階にあった狭い実験室である。震災の翌年のことで、物理の建物が使えなくなったので、化学の新館を借りていたのであった。この実験室の中で、寺田先生の指導の下《もと》で卒業実験を始めたのが、正式に先生の下で研究らしいものを始めた最初であった。

そのころの思い出を書く前に、先生との機縁ということについて考えてみると、私は今さらのように、世の中というものは、ずいぶん微妙なものだという気がする。今日北海道の一隅《いちぐう》で、非常に恵まれた条件の下に、好き勝手な研究を楽しんでいる自分の生活をふり返ってみると、その出発点は、全く寺田先生にある。もし先生を知らなかったら、私は今日とはまるでちがった線の上を歩いていたことであろうと思う。それにつけて私は、生涯の岐路というものはいつもあって、その方向を決める要因が案外些細《ささい》なものであることが多いのではなかろうかと、このごろ時々考えている。というのは、私が寺田先生の学風の下に入った機縁は、全く友人桃谷君の長兄の簡単な言葉にあったのである。

私たちの大学時代には、東大の物理学科では、学生が三年になると、理論と実験とに分れて、実験を志望する連中は、おのおのその指導を願いたい先生の下で、一年間研究実験をして卒業することになっていた。それで二年の三学期になると、誰もが真剣になって、研究実験の選択に頭を悩ますのであった。

ちょうど私たちが二年生の時に、大地震があった。大学もその災に遭《あ》って、たいていの建物が使えなくなったので、三か月近くも休みになった。そして冬近くになって、やっとバラックの中で講義が始められたような始末であった。この震災で私の家もすっかり焼けてしまった。その天災は私には物質的にも精神的にも著しい打撃であった。それで卒業後は今まで漫然と考えていたところの研究生活というものからすっかり縁を切って、理科系統の会社にでも入って、実際に物を作り、そして金もうんと儲《もう》けようという決心を一時的にしたことがあった。

今から考えれば、ずいぶん妙な決心をしたものであるが、その時は真面目《まじめ》にそのように考えたのであった。それで三年になってからの研究実験にも、応用物理学の中で近い将来に大発展をするような方面を選ぼうと思った。ちょうどそのころは真空管が我国《わがくに》でも実用化されかけてきた時であったし、それに桃谷君の親戚《しんせき》に当る関西のある大会社でも、その方面に力を入れようとしたので、無線関係の題目を研究実験に選ぶことに一応考えを決めた。

もっとも寺田先生のことは、冬彦の名を通じてよく知っていたし、時々御宅の方へ遊びにも行っていたので、事情さえ許せば、先生の下で研究実験の指導をうけたいという強い希望が心の底にはあった。しかし先生の教室で、煙草《たばこ》の煙のもつれ方や、三味線の音響学的研究をしたのでは、金を儲ける方とはどうにも関係のつけようがないと思って、真空管の方を特に実際方面のことと関聯《かんれん》をつけて、研究してみたいという気になった。

桃谷君は高等学校時代からの友人で、一緒に物理へはいってきていたのであるが、そういうつもりならば一応問い合せてみようと言って、その長兄の意見を求めてくれた。ところがその返事が、私には天啓であった。別に変った意見が出たわけではないが、そういう偉い先生に個人的に接触する機会があるなら、それを逃すのは損だ、卒業してからのことは、またその時になって考えたら良かろうというのである。いかにももっともな意見なので、私はすぐ賛成した。そして三年になると、一も二もなく先生の指導の下で、研究実験をすることに決めた。誠に他愛《たわい》のない話であるが、若い時の考えなどは、あの大震災くらいのことでも、ずいぶん影響されるものだと今になって思いみている。

ところであの時桃谷君の長兄から、それは良い考えだから是非真空管をやって、卒業したらうちの親戚の会社の方へ行くようにし給えという返事があったならば、私は多分そうしたことだろうと思う。そしてそれから今日までの間に、私は今の生活からはまるで縁の遠い道を通って、現在の自分とは全く別の私が一人出来上っていたことだろうと思う。巧《うま》くいったら今ごろは重役になっていたかもしれないが、そのかわり物理の本当の面白味というものはついに知らずじまいに終ったであろう。

そういうふうに考えてみると、桃谷君の長兄は、自分では多分知らないでいて、非常な影響を私に残してくれたことになる。いつかゆっくり会って、御蔭《おかげ》で重役になり損ねましたと言おうか、御蔭様で生涯没頭して悔《くい》のない面白い仕事にありつきましたと言おうかと思っているうちに、その人はもう亡くなってしまった。

いよいよ三年生になって、研究実験を始めることになったら、同期の友人でほかに二人先生の指導を受けることになった。一人は桃谷君で、題目は霜柱の研究というのであった。もう一人は室井君で、この方は熱電気の実験をやることになっていた。そのほかに湯本君という一年先輩の人があって、ちょうどその年卒業して、大学院に残って、水素の爆発の研究をしていた。私は前から湯本君をよく知っていた関係もあって、一緒にその水素の実験をやるようにと先生から言いつけられた。

先生は例の胃潰瘍《いかいよう》の大出血後ずっと学校を休んでおられて、三年ぶりか四年ぶりかでやっと正式に大学へ出てこられたという時代であった。それで以前の御弟子の人たちは、一応途切れた形になっていた。そういう時期にちょうど私たちが当ったもので、その年度に、先生の直接の指導の下で仕事をしていたのは、この四人だけであった。後に先生が理化学研究所と地震研究所と航空研究所とに、それぞれ研究室を持って、若い元気な助手を十数人も使って、活潑《かっぱつ》な研究生活を続けておられた姿を思ってみると、誠に今昔の感にたえないものがある。

ところが四人の実験室であるが、大震災直後のこととて、どうにも部屋の融通がつかないという話で、化学新館の狭い一つの実験室の中で、皆が一緒にやることになった。化学教室の実験室を借りての話だったもので、中には大きい作りつけの化学実験台が二つも備えつけてあって、それが邪魔になって困った。まずやっと身の置き所があるという程度の部屋であった。

それでも生れて始めて、題目を貰《もら》って自分で研究を始めるのであるし、実験台の片隅を自分の机とすることもできるので、一同はすっかり物理学者の卵になった気持で有頂天であった。皆が急に勉強家になるのもちょっと可笑《おか》しかった。

朝学校へ来ると、まず鞄《かばん》をその机の上に置いて、身軽になって、ノートを一冊もって講義のある時だけ教室へ行く。それが高等学校時代からあこがれていた大学生の生活なのであった。講義は午前中二、三時間だけ聴いて、あとは実験室の片隅で、鑢《やすり》がけや盤陀《はんだ》付けで小さい実験装置の部分品を作ったり、漫談に花を咲かせたり、時にはビーカーで湯を沸《わか》して紅茶を淹《い》れて飲んだりしていた。

時々法科方面の友達などがやって来て「君たちはいいな、僕の方は三百人も一緒に大講堂で大急ぎにノートを取るだけだから、とてもこういう感じは出ないよ」などと羨《うらやま》しがるもので、ますますいい気になっていた。そしてもう会社へはいって金を儲けてなどという考えは、いつの間にかけろりと忘れてしまっていた。

一学期も終って、そろそろ一同の装置が揃《そろ》ってくると、部屋はますます窮屈になってきた。無理やりに小さい実験台をいくつか押し込んで、三つの実験がやっと同時にやれるようになったのであるが、椅子《いす》などは邪魔になってしようがない。それで皆小さい円い木の腰掛にとりかえてしまうという騒ぎであった。

先生は毎日のように午後になるとちょっと顔を出された。そしてその小さい腰かけにちょこんと腰を下《おろ》して、悠々と朝日をふかしながら、雑然たる三つの実験台を等分に眺めながら、御機嫌であった。

そのころはちょうど『藪柑子集《やぶこうじしゅう》』や『冬彦集』が初めて世に出た時代で、先生の頭の中に永らく蓄積されていたものが、急にはけ口を得て迸《ほとばし》り出始めたような感じを周囲に与えておられた。研究の方も同様であって、三年間の病床および療養の間に先生の頭の中で醱酵《はっこう》したいろいろの創意は、生《き》のままの姿で、いくらでも後から後からとわれわれの前に並べられた。それらの創意は皆その後数年間に育て上げられて、後年の先生の華々しい研究生活の一翼をそれぞれなすようになった。一年間の研究実験を終え、その後引続いて理化学研究所で、三年間先生の助手を務め上げていた間に、私はこの偉大なる魂の生長をすぐ傍で見つめていることができたはずであった。しかし当時の私はただ眩惑《げんわく》されるだけであった。そして今ごろになって、頭の片隅に残るいろいろな実験室内の場面を綴《つづ》り合せながら、おぼろにその輪郭をたどるような始末である。

桃谷君の霜柱の研究というのは、武蔵野《むさしの》の赤土に立ったただの霜柱のことである。あの美しい、しかし誰も見馴《みな》れている霜柱などを、改めて物理の研究の対象として、本気で取り上げようとする人は今まであまりなかった。しかし霜柱の現象は実は世界的にかなり珍らしい一つの自然現象なのであって、寒いベルリンやロンドンなどでも、われわれの知っているような霜柱を見た人はあまりないはずである。

土と水の混合物から、水があのように完全に分離して氷の結晶として凍り出るのは、かなり微妙な熱的条件の均衡と、土質の特異性とによるものなのである。それは広い意味での低温膠質《こうしつ》物理学の重要な課題の一つなのであって、そういうことも、実は近年になってやっと分ってきたのである。先生は桃谷君に、こういう日本に独特というほどでもないが、とにかく顕著な自然現象を、日本人の手で解決することをすすめておられた。そしてこの現象は土の膠質的性質に起因するものであろうという見込をつけて、まず膠質物理学方面の測定技術を修得するような実験を言いつけられた。

近年になって、霜柱の研究も大分盛《さかん》になった。その中でも著しい業績は、自由学園の自然科学グループの人たちの研究で、その生成が土中に極微な粒子の存在することによるという点が明らかにされ、先生の見込を確かめる結果を得たことである。先生のいわゆる嗅《か》ぎつける力の一つのささやかな例として見ても、この話は私には一種の懐しさをもっているのである。

それよりももっと重大なことは、この霜柱が、寒地の土木工学上大切な問題として、最近になって、低温科学の表面に浮き出たことである。極寒地では冬土が凍ると持ち上げられ、いわゆる凍上の現象が起きる。この力は大変強いので、北満《ほくまん》では煉瓦《れんが》造りの家屋がそのために崩壊したり、それよりも困るのは、鉄道線路に凹凸《おうとつ》ができて汽車が走れなくなる。北海道などでも、ひどい所では一尺くらいも持ち上げられることがあって、そのためによる鉄道の被害は著しいものである。それが実は地下の霜柱によることを、最近に確めることができたのである。

実は先年札幌鉄道局に、凍上防止の委員会ができて、私もその物理的方面を担当することになった。初めいろいろ現象をきいてみると、霜柱と類似の点が多いので、それならばあまり縁のないことでもないと思って引き受けたのであるが、現場の発掘と低温室内での実験の結果とから、それがやはり地下の霜柱に起因することがわかった。私は二十年前の実験室内の光景を心に描いて、先生の着眼のほどを思いみると同時に、ある種の因縁のようなものを感じた。

霜柱の隣では、室井君が熱電気に関する特殊な現象を調べていた。この方は調べるというよりも探していたと言った方が良いので、最後の目指すところは、地球磁気の根源を捉《とら》えようという話であった。とんでもない大問題を学生の卒業実験に課されたものであるが、先生の説明をきくとよく納得された。

地球がどうして磁気を持っているかという原因については、いろいろな説が出ているが、結局のところは分っていない。それで先生は、地球内部が高温になっているために、熱は始終中心から地球表面に向って流れている。それと地球の自転の影響とで、何か熱電流のような現象が起き、だいたい緯度線に沿って電流が流れて磁気を生じているのではなかろうかと思いつかれたのだそうである。大分後になって、同じような仮説を出した学者が、アメリカにも前にあったことが分ったが、そんなことは別に問題にする必要はない。

室井君の第一の仕事は、針金に急激な温度傾斜を与えてそれでできる電流すなわちベネディックス効果を、いろいろな条件の下で測ってみるというのであった。手製のアスベストスの棒に針金を捲《ま》きつけて、それを不細工《ぶさいく》な歯車か何かにとりつけた妙な装置が出来上った。それに瓦斯《ガス》の炎をぶうぶうと吹きつけながら、室井君は歯車を片手でがらがら廻しては、検流計《ガルバノメーター》の望遠鏡を覗《のぞ》いていた。

誰かが遊びにくると、よくあれは火事の実験かいと聞いた。そして今にあれで地球磁気の原因が分るはずなんだと言うと、中には「まさに団栗《どんぐり》のスタビリティを論じて天体の運動に及ぶ類だね」という男もあった。

この研究はその後、理研で筒井君があとを引き受けてずっと続けることになった。結局地球磁気の原因は分らなかったが、ある種の金属結晶体に縦に熱を流すと、それと直角の方向すなわち横向きに電流が発生するという新しい現象の発見に導かれたのであった。この発見は先生の数多い業績の中でも、特筆すべきものの一つであったが、室井君がぶうぶうと炎を吹きつけていたころのことを思うと、傍観者たちにも感慨深いものがあった。

ところで湯本君と私との水素の爆発に関する研究であるが、この方は、実は湯本君がもう一年前から始めていたので、装置はだいたいできていた。それで私たちの方は直ぐ測定にとりかかれた。

この研究は飛行船の爆発防止の問題に関聯《かんれん》して始められたものであった。あのころは日本ばかりでなく、外国でも飛行機が今日のように発達していなくて、飛行船がまだかなり有望視されていた。それで私たちも時々軟式の飛行船が、少々怪しげな恰好《かっこう》で東京の空をとぶ姿を仰いだものであった。

飛行船の事故は時々あった。そのうちでも当時から二年ぐらい前に一台の海軍の飛行船が原因不明で爆発してしまったことがあった。それで先生が海軍から頼まれて、爆発防止の研究をされることになり、この水素の爆発に関する実験というのが、その基礎的研究として採り上げられていたのである。前の題目にしても、この水素の話にしても、学生の卒業実験としては、かなり大きい問題を課せられたものであった。しかしどんな難問題でも先生の手にかかると、妙にやさしい話になってしまうので、気軽にどんどん実験を進めて行けるのが不思議であった。

水素の爆発の研究は、もちろん世界各国で、ずっと前からもたくさんされていた。しかしそれらの研究のうちの多くのものは、水素と酸素とがちょうど爆発に適するような割合に混合された場合について調べたものであった。先生の研究はその反対といっていい場合についてであった。水素に少し空気が雑《まじ》ったり、逆に空気中に水素が少量混入した時に、爆発がどのような形をとって伝播《でんぱ》するかを見ようというのであった。

実験は細い硝子管《ガラスかん》に、適当な割合の混合気体を入れて、上端で火花をとばせてみるのである。例えば水素中に空気がだんだん余計に雑ってくると、ある割合のところで火がつく。しかし混入した空気の量が少いうちは、その燃焼は点火した場所の附近だけに止《とど》まって、すぐ火が自分で消えてしまう。そしてもう少し空気を多くした時に、初めてその燃焼が管の中に伝播していくようになり、いわゆる爆発が起るのであった。

実験のやり方は決《きま》っているのであるが、硝子管の太さと長さとをいろいろにかえ、混合気体の割合をまたいろいろにかえて調べていくので、やることはいくらでもあった。とうとうそれだけに一学期と夏休みがほとんど潰《つぶ》れてしまった。「水素と酸素を混ぜて火をつければ爆発するに極《きま》っている」と思っていたのであるが、実際やってみると、管の太さや長さによって、爆発の途中で火が消えたり、消えそうになってさらに第二段の燃焼が起きたり、意外なことがたくさん出てきた。なるほど実験物理というものはこういうものかという気がした。

夏休み中、三十度以上の蒸し暑い狭い実験室で、毎日汗だくになって燃焼量と管の形との間の関係をグラフに作って暮した。室井君が横でむやみと瓦斯の炎をぶうぶうやるので閉口した。水道の水を冷却用に使っていたのであるが、水温があまり高くなってしまって、用をなさなくなったこともあった。そういう日はもちろん実験はお休みで、午後半日紅茶を飲みながら、無駄話をして遊び暮した。

先生は夏になると割合元気になると言いながら、どんな暑い日でも、毎日一度は実験室へ顔を出された。胃が悪いと手脚が冷えて困るので、夏になると割合元気になるということを、このごろになって私も経験した。

先生は一わたり三つの実験を眺め渡して、一言二言ちょっと示唆《しさ》的《てき》な注意を与えられる。それで指導の方はもうおしまいである。あとはヴァイオリンや三味線の話が出たり、幽霊や海坊主の話になったりした。先生はずっと前に尺八《しゃくはち》の音響学的研究をされて外国人を驚かされたことがあったが、引続いて三味線の方を調べたいという希望をずっと持っておられたのである。しかし三味線ときくと皆が尻込《しりご》みをするので、適当な実験助手が得られなくてそのままになっていた。「誰か耳の良い学生の人がいないかなあ、三味線はきっと面白いよ。それにあんなものわけなく弾《ひ》けるようになるんだから。僕だって「松の緑」くらいなら弾けるよ」と先生は言っておられた。これは本気の話であって、先生の学校の部屋の隅には、赤い袋に入った三味線がしばらく置いてあったが、結局誰もその方を志願する者がなくておしまいになってしまった。今から考えてみると惜しいような気もする。

もっとも話はそんな題目ばかりとは限らなかった。時には実験の心得について、稀《き》世《せい》の名教訓が出たり、現代の物理学の限界を論ぜられたりすることもあった。もっとも幽霊の話でも、どんな重大な問題の議論でも、先生はいつも同じ口調で話されるので、最後はたいていは先生のいわゆる「大気焔《だいきえん》」になることが多かった。二、三十人も人が集ると、先生はもうもぞもぞと口の中で話されてなんのことか分らないのであるが、二、三人の弟子たちを前に置いて、その大気焔を揚げられる時は、非常な雄弁であった。毎日のことながら、いつも少々毒気《どくけ》を抜かれた形で、一同が神妙にきいていると、先生は少しきまり悪そうににやにや笑いながら「どうも僕が来ると、実験の邪魔ばかりするようだね」と言って、上機嫌で帰っていかれた。

水素の実験は、その後湯本君がずっと続けて、湯本君にとってはほとんど一生の仕事となった。私はその後爆発の方とはちょっと縁が切れていたのであるが、数年前、某北海道の炭坑でメタン瓦斯の爆発が頻々《ひんぴん》とあって、それを防止する意味をかねて、メタンの爆発の研究をしたいという人が出てきた。炭坑の爆発はその後もかなり頻繁《ひんぱん》にあって、時局柄《がら》重大な問題なので、私もその人と一緒に少し手をつけてみたことがあった。考えてみると、条件は飛行船の爆発の場合とよく似ているので、昔の実験を思い出して、水素をメタンに置き換えるだけで直ぐ仕事にとりかかることができた。

結果は水素の場合とよく似ていて、ただいろいろな燃焼伝播の特性が、メタンの場合にはもっと著しく現われることが分った。十五年前にあの暑い実験室の片隅で毎日採っていたグラフと、質的には全く同じ結果を、今日北海道の実験室で熱心な助手の人が、炭坑の爆発に関聯した問題として得ている姿を見て、ここにも因縁のようなものを感ずる機会があった。

水素の爆発の研究には、ちょっとした劇的挿話があった。それはちょうどそのころSSという航空船が、飛行中全く原因不明で、霞ケ浦《かすみがうら》の上空で爆発したことがあった。乗組員は全部焼死して、黒焦《くろこ》げの機械の残骸《ざんがい》が畑の中で発見されたのであった。その重大事件には早速査問会が開かれて、先生もその一員に加えられたのである。問題は以上の材料、すなわち爆発の場所と時刻、それに器械の残骸と、これだけの資料から、爆発の原因を究明して、今後の対策をはかるというのである。この恐ろしい難問を、先生は真面目に引き受けられたのである。

冬の初めのある日、水素の仕事も大分進捗《しんちょく》していたころのことである。先生は珍らしく少し興奮されたらしい顔附で、実験室へはいって来られた。そして湯本君と私とに以上の目的を話して、一応今までの水素の仕事を中止して、飛行船爆発の原因探究に必要な実験をするように命ぜられた。もっとも水素の取り扱いには馴れていたし、火花による点火装置なども揃っていたので、仕事にはすぐ取りかかることができた。

この飛行船爆発の原因を調べた話は、『球皮事件《きゅうひじけん》』という題で書いたことがあるので略するが、先生の科学者としての頭と眼、芸術家としての勘、愛国の至情などが渾《こん》然《ぜん》として一体となり、このどうにも手のつけようのない難問を、数か月のうちに見事に解決されたのであった。その話は科学的研究方法の模範であり、ちょっと探偵小説風な興味をもって、非常に珍らしい話なのである。

私たちも初めのうちは、まさかそんなことが分るわけもなかろうと、ぼんやり言いつけられた実験をやり始めたのであるが、しばらくすると、先生の快刀乱麻《かいとうらんま》を断つような推理の冴《さ》えに魅せられて、夢中になってその実験に没入した。それは本当に没入したといって良いので、湯本君も私も熱に浮かされたように、毎晩十二時すぎまで、問題の飛行船の皮であるところの球皮ととり組んでいた。いろいろな秘密が次ぎ次ぎと見えてきた。それを先生は、まるで嚢中《のうちゅう》に物を探るようにとり出して並べて行かれた。私は、その後も、あの時ほど自分の頭の振子《ふりこ》が最大の振幅で動いた経験を持たない。

いよいよ爆破の原因が無線発信にあったことが分ったのであるが、査問会の方はある事情でそれをなかなか認めない。その事情というのが先生を興奮に導き、私たちを駆って原因探究の実験に熱中させる一つの原因でもあったのである。査問会の物々しい席上にも、私たちまで顔を出し、最後に立会実験までもした。偉い方々を例の窮屈な実験室へ招いて、模型飛行船、といっても他愛ないものであるが、それを無線発信の際に出る小さい火花で爆破させてみるというような騒ぎにまでなったのである。

この事件は、私に研究の面白味を十分に味わせてくれたばかりでなく、物理学というものに強い信頼をおく機縁にもなった。そして私はこういう機会に遭遇することのできた自分の幸運を本当にありがたかったと思っている。御蔭で三年の後半期の試験の方は滅茶苦茶になってしまって、ずいぶん成績も悪かったらしい。講義なども半分近く失敬したようである。この方は先生に知れると叱《しか》られるので、なかなか苦心をした。成績簿という帳簿の上で、私の名前の下に優という字が書かれても、それが良という字になっても、自分の本質にはそんなことは全くなんの関係もない。おまけにありがたいことには、成績は秘密ということになっている。そんな隠した場所にどういう字が書いてあるかまで、苦心して詮索《せんさく》することは、全くつまらぬ話である。しかしこれだけの大研究の御手伝いを、とにかくしたという自信の方は、その後の私の研究生活に無限の力強い支援となっている。このごろのように大学の組織や制度が完備しては、ああいう無茶な学生の存在は許されまいし、実験の方でもああ出鱈目《でたらめ》な勝手はできないことであろう。

この話にもちょっとした続《つづき》がある。戦争中に、私は海軍からの委託研究のことで、航空廠長《こうくうしょうちょう》という偉い人に会ったことがある。しばらく話をしているうちに、先方から、なんだか君は見覚えがあると言い出された。話してみたら、その方は昔この問題の査問会の委員の一人だったということであった。「ああそうだったのか、ずいぶん大きくなったものだね」といわれて、放々《ほうほう》の態《てい》で逃げ出したが、あのころはずいぶん生意気な小僧だったことだろうと思いみて、いささか辟易《へきえき》した。それにしても世の中のことは、いつまでも後を引くものである。

以上のように書いてみると、あの狭い一部屋の実験室では、ずいぶん意義のある研究が、たくさん並行になされていたことになる。ちゃんとした助手などは一人もいないし、装置も学生の練習実験程度のものしかなかったのに、あれだけの研究がとにかく進行していたのは、やはり先生がよほど偉かったからであろう。

霜柱の研究といっても、まず手始めにコロイドの性質に馴れようというので、桃谷君の仕事は、硝子《ガラス》板の上にゼラチンを流して、リーゼガング環を作ることから手をつけることになった。この方はそれで、硝子板とゼラチンのほかは、薬壜《くすりびん》が四、五本並べば、もう仕事が始められたのである。

室井君の「地球磁気の根源に関する」大研究も、検流計が一つとあとはアスベストスの棒と手細工のががら廻《まわ》る歯車とが出来上れば、とにかく実験が始められた。こういう風にして始められた研究が、その姿のままで続けられて立派な結果を得たのではないが、この程度でもよいから、とにかく始めなければ、決して後年のような実は結ばなかったであろう。

水素の方の仕事は、この中では比較的大がかりであったが、それでも水素のボンベと目盛した硝子のU字管と、小さい変圧器くらいの設備で、どんどん曲線は採れていった。そうしてこの仕事をしていなかったら、飛行船爆破の原因探究という実験もできなかったであろうという気がする。

機械や設備が立派に揃えばそれに越したことはないが、そんなものがなくてもある程度の研究はできるということは、よくいわれるとおりである。しかし実際にはあの当時の設備と人員とで、とにかく研究を始めて、それをある程度まで進行させるということは、そう易しいことではない。このごろになってやっとそういうことが分ってきた。立派な機械を使ってつまらぬ仕事をすることは易しいが、その反対の場合はむつかしい。それは当り前のことであるが、自分が一人立ちの立場に置かれて、実際に事に臨んでみると、改めて考えさせられることが多い。

今から考えてみると、あのころ私たちは、寺田先生のああいう研究のやり方を、そう特別に困難なこととは気がつかないでいた。むしろ研究というものは、こういうものと初めから思い込んで、ただ面白いという念だけに駆られて、実験に打ち込んでいた。そういう意味で先生の研究指導ぶりは、天衣無縫《てんいむほう》の域に達していたといえよう。

ある日こんなことがあった。

何かの用にあてるために、砂を菓子箱の蓋《ふた》に一杯入れて、実験台の隅にのせてあった。先生は午後の御茶の時間に、例のように上機嫌で一同を煙《けむ》に捲《ま》きながら、その紙箱をいじっておられた。砂を入れたその紙箱は、横側を押されるたびに歪《ゆが》んだ。すると中の砂はさらさらと崩れて何本かの罅《ひび》がはいった。何も珍らしい現象ではないので、火鉢の中に灰匙《はいさじ》を立てて左右に動かすという悪戯《いたずら》をしてみた人は、誰でも灰に罅がはいって崩れることを知っているであろう。先生はじっと砂の表面に見入りながら、急に黙り込んでいつまでも箱の側面を引いたり押したりしておられた。皆もちょっと手持無沙汰《ぶさた》な恰好で、砂の割れ目を怪訝《けげん》そうに見ていた。

大分経ってから先生は口を切られた。「君たち、この現象をどう思いますか。砂が崩れる時にできた罅は、こうして逆に押し戻しても埋らなくて、皺《しわ》になって盛り上るでしょう。こういう不可逆的《イルレバーシブル》な現象は、摩擦《まさつ》が主な役割を演じている場合に限るので、これは大変面白い現象なんです。一つ断層の研究を始めようじゃありませんか」という話であった。

先生の断層や地殻の変形に関するいろいろな研究というのは、その起りはここにあったのである。そしてこの研究に芽生えた思想は、粉体《ふんたい》の特殊な性質の研究や、割れ目の理論を経て、ついに先生晩年における『生命と割れ目』の論文にまで、発展していったのである。

菓子箱の蓋の「実験」があって間もなく、ちょうどそのころ私たちの実験室へ遊びに来ていた宮部君が、この実験を本式に始めることになった。本式といっても、その装置というのは紙箱の一側面を硝子板にして、その隣りの面を移動できる壁にしただけである。その中に砂を深さ五分ばかり入れてならし、その上に白砂糖を薄く撒《ま》いてまた砂を入れるというふうに何段にもして、砂を一杯入れるのである。白砂糖の層は横の硝子板から見ると、白線になってあらわれ、これが断層の目印になるのであった。壁を引くと、砂はいくつもの断層になって崩れるのが、綺麗《きれい》に見えた。そして一度崩したものを押し上げると、今度はちがった面に断層ができて盛り上るので、白線は地層の褶曲《しゅうきょく》に似たような形になるのであった。

この実験はその後宮部君によって、理化学研究所の実験室で数年続けられた。いろいろな性質の粉について調べる必要があるというので、白玉粉《しらたまこ》だの、小豆粉《あずきこ》だの、砂糖だのと、たくさん買い込んだら、理研の会計の人から、これじゃまるでお汁粉の研究ですねといわれたそうである。

こういう話を書いておれば切りがない。大学の一年間と、その後引続いて理研の三年間とは、私にとっては楽しい思い出の泉である。もっとも理研の第一年は、ちょうどその年から先生が理研に研究室を持たれた年であった。航空研究所や地震研究所での活潑な研究生活もまだ始まらない前で、私はずいぶん忙しい思いもした。しかし千載一遇《せんざいいちぐう》の良い訓練を受けることができたのであった。いつも感謝の念をもって当時を思い返すことのできる自分は幸運であった。

先生が亡くなられて、自分は他の多くの弟子たちと同様に、ずいぶん力を落した。そして今日のような時勢になると、切実に先生のような人を日本の国に必要としていることを感ずるのである。科学の振興には、本当に科学というものが分っている人を必要とするからである。

北海道へ来て、一人立ちで仕事をさせられてみると、私は先生の影響をいかに強く受けていたかということを感ずるのである。それと同時に、時たま仕事が順調に運んだ時などには、先生のおられないことをしみじみ淋《さび》しいと思う。

十五年ほど前、やっと懸案の雪の結晶の人工製作ができたあとで、先生の知友の一人であった前中央気象台長の岡田先生に御目にかかったことがあった。そしたら岡田先生が「せっかく人工雪ができたのに、寺田さんがいなくて張り合いがないでしょう」といわれた。私はふっと涙が出そうになって少し恥ずかしかった。

露伴先生と科学

私は露伴先生のものは少ししか読んでいないし、御目にかかったのも、三、四回くらいのものである。それで先生については、あまり書く資格もなく、また材料も持ち合わせていない。しかし露伴先生のことは小林勇君を通じて、この近年よくきいていたし、上京して武見国手に会うごとに、先生の容態のことが一度は話題に上ったので、晩年の先生の風貌《ふうぼう》に親しい接触があったような錯覚《さっかく》に陥《おちい》ることもあった。そういう機縁で、この小文を書きかけたのであるが、材料は大部分小林君から得たものである。また直接先生に御目にかかっていろいろ話をきいた時も、いつでも小林君につれて行かれたわけである。

『幻談』以前の昔の露伴ものを時々読んでいたころは、露伴という名前は、すでに歴史上の人物として私の頭の中にあった。それが同時代人《コンテンポラリー》として初めて感ぜられたのは、寺田先生の晩年における、露伴、寅彦のつらなりからである。小林君はこの両先生のいずれからも、深く愛されていたので、両先生の年老いてからはじまったこの交遊には、小林君というものがその仲立ちにあったのであろう。

寺田先生はもちろん露伴を尊敬しておられたが、露伴先生の方も、寅彦を愛敬しておられたようである。『思想』の『寺田寅彦追悼号』にある『寺田君をしのぶ』という露伴道人の文章には、寺田先生の「粋然たる風格」や「洽然《こうぜん》として自ら好《よ》しとする」交遊ぶりに対する愛敬の情がのべられている。しかし露伴先生が、それよりもさらに愛敬されたのは、寅彦の学問であった、「君に篳篥《ひちりき》、笳《あしぶえ》の談をし、君から音波と物質分子位置の変化との関係をきく」ような静かな清談を楽しみとされたようである。

露伴先生が科学に興味をもっておられたのは、まだ若い時代からのことであったそうである。知らない世界へのあこがれ、新しい知識に対する情熱は、露伴の生涯を通じて変らないところであった。「七十を越した老人で、あのように小児のように、新しい事に潑剌《はつらつ》たる興味をもつということが既に驚異だ」と小林君は書いている。したがって自分の専門の方面の学者と話をすることには、あまり興味がなく、科学者と会って新しい知識の話をきくのを大いに楽しみとされていたようである。

寺田先生の随筆の中に『鐘に釁《ちぬ》る』という一文がある。冒頭に「此の事に就て幸田露伴博士の教を乞うたが」とあるとおり、こういう話などが両先生の清談の中に出てくる話題の一例である。鐘に釁るというのは、昔支那で鐘を鋳た時に、これに牛や羊の血を塗ったという言い伝えがあるが、その伝説に興味をもって、露伴先生の意見を求められたのである。『寺田君をしのぶ』によると、その問題は「卒然と答えるには余りに多岐多端なことであるから、大要を語った後に、数日を費して自分は自分の方の分内でそれに関することを記しつけ」それを寺田先生に渡されたそうである。その調べによると、これは鐘を鋳る時に、犠牲の血をもって祭典を挙行するという意味に使われた場合が多いそうである。しかしその中には露伴先生は否認されたが、ずっと昔に逍《しょう》氏の説というのがあって、それでは鐘を鋳た後に、羊の血をもって鐘の裂罅《れっか》に塗るという説もあった。またこの説を裏書きする方の明《みん》の宋《そう》氏の洪鐘の詩の序中の事実も後になって見つかり、それも寺田先生に伝えられた。

寺田先生はこの鐘に血を塗るという操作について「本来は恐らく犠牲の血によって物を祭り清めるという宗教的の意義しかなかったのであろうが、併し特に鐘の割目に塗るということがあったとすると、それは何かしら割目のために生じた鐘の欠点を補正するという意味があったのではないか」という疑いを持たれた。

ところで問題はもしそういうことがあったとしたら、それは現在の分子物理学の知識から考えてみて、全く無稽《むけい》なことではなく、一応は首肯《しゅこう》されるというのが寺田先生の考えなのである。それは金属と油脂類との間には強い吸着力があることが分っているので、もし鐘に目に見えないような割目があれば、血の中の膠様《にかわ》のものや油脂のようなものがその間隙を充填して、固体のような作用を為し、「割目の面に於ける音波の反射をかなり迄防止し得従って鐘の正常振動を回復することが出来るであろう」という考察がなされたのである。

露伴先生は自分が否認した方の説ではあるが、寺田先生が「読みづらかったろう其冊を読」み、「努を厭《いと》わずして微を積むを敢えてする学者的態度の誠実さに悦服」されたそうである。寺田先生の考え方ももちろん面白いが、自分の否認する方の説についても、これだけの考察を進められた寺田先生の態度の「誠実さに悦服」された露伴先生の心構えにも、敬服の念を禁じ得ないような気がする。その時寺田先生に見せられた草稿は、まだ発表されていない由である。小林君がすすめても「あれは寺田君に見せるために書いたものだから」といって、印刷に付することを承諾されなかったそうである。瑣細《ささい》なことのようであるが、そういうところにも露伴先生らしい風格が偲《しの》ばれるような気がする。

この鐘に釁《ちぬ》る話が出た時の座に同座していた小林君の話によると、この時には、その話の他に伊豆のどこかに出る珍しい石の成因について、露伴先生が考えられたことを話されて、寺田先生の意見を求められたそうである。その石は、割目がたくさんはいっていて、その隙間に色のちがった他の石がつまったような構造のものであった。

寺田先生は即答はせず、面白い問題ですから、地震研究所くらいで一つ実験をしてみましょうかなどといっておられたそうである。

そういえば私も、寺田先生から、そういう話をきいたような気もするが、詳しいことは忘れてしまった。地震研究所で実験をされたかどうかも知らないが、多分着手まではいかなかったのであろう。寺田先生は、晩年には非常に忙しい研究生活をされていたので、そこまでは手が届かなかったのであろう。

その時にもう一つ虫送りの話が出たそうである。地方によっては、鉦《かね》だの太鼓《たいこ》だのを盛《さかん》にたたいて練り歩くことがあるが、音波によって虫を殺すか追うかすることが可能であるかという質問である。それにも寺田先生ははっきりした返答はされなかったそうである。しかし『鐘に釁る』から半年ばかり後に書かれた随筆の中に、『音の世界』という短文がある。初めに「音の触感」に関する研究の報告の紹介があって、そのあとに呪文《じゅもん》によって蚊柱を呼び下ろすという子供のころの経験の追憶が書かれている。呪文の中の「むーん」という声が多分蚊の羽根にでも共鳴して、それが、蚊にとって挑戦あるいは誘惑としての刺戟《しげき》を与えるのではなかろうかという話である。音波によって虫を退治するという露伴先生の仮想とは、直接の関係はないかもしれないが、似たところのある話である。

昭和十年の暮、寺田先生の逝去によって、この露伴、寅彦の交遊は、永遠に打ち切られた。そのころの日本はまだ良い国であった。しかし満洲事変以来の暗雲は、それから二年を待たずして、ついに昭和十二年の北支事変に発展し、国の姿はしだいに狂相を呈してきた。露伴先生は痛く国情を憂い、また一方家庭的にも不幸な事件が続出して、多難な日がつづいた。その間の消息は、小林君が今年の一月『世界』に書いた『露伴先生近況』によって、私も初めてくわしいことを知った次第である。

ちょうどそのころ私は十年来の雪の結晶の研究が一段落ついたので、その綜合《そうごう》報告を中央気象台でしたことがある。その報告が『気象集誌』の特輯《とくしゅう》号として出たのが、たしか昭和十三年の春であった。露伴先生はそのころ、しきりと科学書を読んでおられたそうである。『露伴先生近況』によると、岡田博士の『気象学』や私のこの『雪の結晶の研究』などを読まれ、特に原子物理学には興味をもって、菊池教授の『原子核及び元素の人工転換』のような専門書まで読破されたそうである。「専門ちがいだからなかなか手軽には読めぬ」といいながらも、菊池教授のこの本を二週間くらいで読了された。誠に驚くべきことであって、物理出の理学士でもそれくらいはかかる本なのである。いくら露伴先生でも、菊池教授のあの本をとにかく読了するまでに理解されたことは、ちょっと考えられないことであった。ところが今度小林君にきいた話では、先生は『理化学辞典』だの各種の化学の本だのも届けさせておられたそうである。高等学校時代に、いちいちの言葉を哲学辞典でひきながら、畑ちがいの哲学書に熱中していたころのことをふと思い出したが、先生には、七十歳をとっくに越してからもなお、青年の日の若々しい情熱がつづいていたのであろう。

小林君につれられて、伝通院《でんづういん》の御宅へ初めて伺ったのは、ちょうどそのころであった。二階の八畳は、二面に白い障子が立ち、一面は桐の和本箱で埋められていた。先生はその真中で机によりながら、上機嫌で話をされた。六月末の雨の日で、静かにこの鴻儒《こうじゅ》の話をきくのにふさわしい午後であった。まず雪の話が出た。雪の古字は雪であって、ヨは手、彗は箒、要するに箒ではき集められる雨という意味ということになっている。しかし箒はいい加減なこじつけかもしれない。洗濯する時の水の音に雪々というのがあるから、あるいは雪の降る音から来たのかもしれない。字解には字形と字音とがあるが、支那人は字形が好きなために、前者の解をとることが多い。そういう話を伺っているうちに、「君の雪の研究は近来読んだものの中で一番面白かった」といわれて、大いに恐縮しながらも、心から嬉《うれ》しく、学問のありがたみをつくづく感じた。

そのころ、ちょうど私は伊豆の伊東で静養をしていた時代で、墨や硯《すずり》のことに興味をもち始めたころであった。寺田先生の墨と硯とに関する研究は、世間にはあまり知られていないが、先生晩年の仕事の中では、かなり重要なものであった。三つばかりの論文がすでに発表され、そのつぎの研究がだいたい出来上った時には、先生は最後の病床についておられた。もっともあの年の秋の理研の講演会で、その論文の代読をしたころは、まだあれが最後の病床だとは思っていなかった。そういうことも一つの機縁となって、墨と硯とに対する興味がかなり強くなっていた時代である。

墨や硯のことになると、これは露伴先生に伺うには、こっちの知識があまりに少なすぎた。第一漢字をあまり知らないので、先生の話の単語がまずつかめない。いちいちどういう字ですかときくわけにもいかないので、惜しいながらに聞き流していた。歴史的のことはほとんど忘れたが、墨の性質についてはいろいろなことを教わった。昔の墨は硬墨であったが、現在のは軟墨であること、それは膠《にかわ》のちがいにもよるもので、獣膠《じゅうこう》は硬いが魚膠は軟いからである。獣でも特に角《つの》や嘴《くちばし》から採った膠が硬い。古墨のごく硬いものは、水中に放置してもほとんど変らず、墨を磨《す》り終ったところでその磨り口の縁で紙が切れるくらいといわれているそうである。日本で墨の膠のことを重視したのは、鈴木梅仙であった。もっとも現在の日本の墨はほとんど全部魚膠で、問題にならないらしい。煤《すす》の粉については、支那では昔からいろいろな研究があり、灼《や》く時の温度については考えた人はあるが、圧力の方はまだ考えた人がないという話であった。

名墨の墨色の美しさは、決して通人だけに分るような主観的なものではなく、誰にも一目で分るくらいはっきりしたものである。それで名墨と駄墨との差は、当然物理的にきめられるはずである。膠の方はちょっとむずかしいが、煤の粉の方はすぐ分りそうである。炭素という元素は、木炭のような無定形のものにも、石墨のような結晶質のものにも、また金剛石《ダイヤモンド》のような純粋な結晶にもなりうるもので、その成因の差は温度と特に圧力とによって決るものである。墨色の差は煤の粉の性質によって、少くもその一部は説明されそうである。そういうことを実はぼんやり考えていたところだったので、圧力の方はまだ考えた人がないという話をきいてちょっと驚いた。あるいは先生のこの一言をきいて、今までぼんやり考えていたことが、私の頭の中で急に結晶したのかもしれない。先生は科学者として考うべき灸所《きゅうしょ》もちゃんと押えうる人であった。

雷の話も出た。雷の方も実は前に理研にいたころちょっと手をつけたことがあり、そのうちに本にまとめようかと心づもりをしていたころである。緒言として昔の人の考え方を少し入れたいと思っていたので、雷神のことを伺ってみた。驚いたことには、漢の時代にすでに雷神や太鼓の説を非難した人があったから、それ以前からの考えであろうということであった。雷のことは、その後次の年かに『すすき野』が出た時、一部贈って戴《いただ》いて、その中の『神祇論』の中に雷電に関したことがあるから参考にするようにという言伝《ことづ》てがあった。喜んで早速読んでみたが、先生の鴻大《こうだい》な知識に圧倒され、見たこともないような難しい漢字がいっぱいあるのに度胆《どぎも》を抜かれて、考証の方は歯が立たなかった。しかし支那の古来の諸学者の説を、まるで嬰児《えいじ》と腕相撲をするように論破されているところが痛快であった。神は示申よりなり、示は地祇《ちぎ》である。申は天神であって、その金文甲文石鼓文ともに皆電光に象《かたど》ったものである。甲字の甲文の六つの変形を見れば、それが「左右定無」く「電光の閃爍《せんしゃく》して、急に伸び忽ち屈するの状に象」ったことが分る。

古人が天上に電光を仰ぎ見て畏《おそ》れ、「不測の霊を思い、神なるものありて天に在るを感じ、始めて神の思想を生じた」と察せられる。七月この電光はしばしば地に達して、万物が生い繁る。「古《いにしえ》の人、地下に霊力あるを思わざるを得ず」示すなわち社朮を地祇として「本に報い始に酬いるの情」を現した。「人の此情の美より神祇を得るに至って、人遂《つい》に禽獣《きんじゅう》たるを免れ、文明漸く積発して、天地に参画するに及ぶ。人と禽獣との異なる、ただその祖先に「申」「示」を有すると有せざるとに在り」と先生はいわれる。文字の学もここまで達すると、最も純粋な形での自然科学の境地と著しく近いものになるのではなかろうか。

この日の先生はまだずいぶん元気であった。宣徳の羊脳紙は今日までも新品のようであるという話、麒麟《きりん》をジラフに当てるのは間違っている話、化石時代のもの例えば恐竜などに竜という字を用いてはいけないという話など、三時間以上も上機嫌で話をされた。その間に質問が二つばかり出た。一つは盛夏氷を得る法であって、何かの容器に熱い湯を入れて、それを深い井戸に落すかどうかして、急に冷やすと氷ができるという話が、支那の古書にあるがそれは本統だろうかというのである。今一つは白絹で銀の表面をこすると、なんとかの色が出るというのであったが、くわしいことは忘れてしまった。もちろん即答はできなかった。先生は氷の方に興味があったらしく、その後小林君から先生が答を待っておられるらしいという話をきいたが、そのままになってしまって、申訳ないことをした。熱の現象には慣性がないというのが特徴であって、普通の意味では急に冷やしても、冷やす水の温度よりは冷たくはならない。しかしこの問題に関聯して、少し考えてみたいことがあったのだが、のびのびになってしまったわけである。

ちょうどそのころ、私は国際雪氷委員会に提出するために『雪の結晶』という映画を作っていた。それがその翌年、昭和十四年の春に完成したので、銀座の東宝の試写室で披露した。その席へひょっくり露伴先生が小林君とたしか文子さんかに助けられながら、お見えになった。この映画は試写には露伴先生にまみえ、後には天覧も賜わった。まことに果報な映画である。この時の先生は前年よりも急に衰えが見え、自動車の乗り降りも大分難儀なようであった。それだけに先生の「若々しい情熱」と科学に対する愛情とには感を深くした。

その後一年か二年か後に、また伝通院へ伺った時には、先生は床についておられた。その枕頭《ちんとう》でいろいろな話を伺ったが、話題はやはり科学に関係したものが多かった。その時の先生は、界面現象のことにひどく興味をもたれ、いろいろな質問が出た。「この方面は物理学でも化学でも、現在非常に大切な分野となっているので、ファラデーが今生きていたら、界面現象の研究に着手するだろうという人もあるくらいです」といったら、いかにも意を得たというような御返事であった。先生は『神祇論』のような按排《あんばい》に、自然と人間とをこめた世界での界面論をいろいろ話された。

露伴先生が原子核物理学の専門書を読まれ、界面現象に興味をもっておられたということは、知らない人が多いであろう。ところが先生の科学に対する情熱は、実は鑑賞家の態度に止らず、実践の域にまではいっていたのである。小林君の話によると、曩《さき》の日の先生は、写真に凝り、鉄砲に熱中し、一時は鍍金にまで手を出して、いろいろ研究をされたことがあるそうである。先生の釣はかなり有名であるが、その釣の方法も全く科学的であった。それは川の水理や水温をくわしく調べる程度に止らず、魚の心理までも研究されたそうである。鱸《すずき》のことをいろいろ調べて、貝殻の破片のような形の小さい鏡を釣針の近くにつけて試みられた。ところがそれをぽいと放り込んだ途端にぐいとかかって、大きい鱸が釣れたので、「恐ろしくなって」その釣は止めてしまわれたという話である。なんだかシバの女王時代のような話であるが、小林君から聞いた話であるから、根拠のある話であろう。

露伴先生の科学は、普通の量的な計算をすれば、先生の全貌《ぜんぼう》のほんのわずかな一斑《はん》点《てん》くらいにすぎないであろう。しかし人間の精神の力は、そう簡単に加算だけでは片付かないので、一毛が全体に通ずる場合もあるのであろう。そして露伴先生の科学は、ちょうどそういう例になるのではないかという気がする。

牧野伸顕伯の追憶

昭和二十二年の正月のある晩、リーダース・ダイジェストの東京支社長マッキイヴォイ氏と同席した時に、牧野さんの話が出た。

マッキイヴォイ氏は、牧野さんのことを非常にほめていた。日本の代表的な知識人で、すぐれた民主的政治家である。そして八十九歳の老齢で、頭が少しも衰えていないと感心していた。しかし今病気だということだがどうなんだろうと心配していた。事実その時はすでに牧野さんは、死の床についておられたので、その後二十日くらいして、われわれはついにこの「明治の日本」の最後の一人を失ったのである。

牧野さんに会った人は、誰でもいうことであるが、牧野さんは、最晩年まで頭が非常にしっかりしておられた。それはまことに驚くべきことであった。時々伺うようになったのは、この六、七年来のことで、牧野さんが八十をとっくに越しておられたころからである。しかしいつも羽織袴《はおりはかま》をちゃんとつけて、よく日本タイムスを読んでおられた。外国語には堪能で、眼も達者だし、耳も普通であった。始終外国の本を読んでおられたらしく、新しい思想のことや、近代の科学の話をきくことを好まれた。話をしていると、この人が西郷隆盛を知り、岩倉公の使節の一行に加わって、明治四年にアメリカへ渡った人とは、どうしても考えられなかった。

武見太郎氏につれられて、初めて牧野さんのところへ伺ったのは、たしか今度の戦争の初めごろだったかと思う。松濤《しようとう》の御屋敷がまだ戦災にあわなかった前のことである。無雑作に繁った広い庭を前にした広間で、籐《とう》椅子を円《まる》く並べて、御馳走《ごちそう》になり、夜おそくまで話した。安倍能成さんや仁科博士、藤岡博士などと一緒のことが二、三度あった。

二・二六事件がまだそう遠い昔の話でなく、東条軍閥の勢威が一世を蓋《おお》っていた時代のことである。牧野さんはなるべく表面に出ないように静かな生活をしておられた。しかしなんといっても、ただ一人生き残られた明治の功臣であり、かつ家柄も高いので、日本の近代史に残る家名の人たちが多く出入りされていたようである。

松濤の御屋敷へ伺って二度目だったか、親戚《しんせき》の若い者たちに話をしてくれとのことで、映画をもっていって、雪の話と、たしか気球による霧の研究の話とをしたことがある。広間と次の間と、それに縁側まで入れて、七、八十人の御客様があった。雪の映画は、アメリカへ送った英語版であった。今度の戦争中のあの空気の中で、牧野さんの邸宅で英語版の映画を見せることは、少し無鉄砲だったかもしれないが、牧野さんは非常に喜ばれた。そして若い人たちに、世界を見る眼を開かすことが大切だというようなことをいわれた。御客様の中には、御降下の宮様も二、三人おられたそうである。

牧野さんは、いつでも世界を背景として、日本のことを考えておられた人である。インテリの定義として、人類とか民族とかいうものを背景としてものごとを考え得る人というのがある。そういう意味では、マッキイヴォイ氏のいうように、牧野さんは日本の代表的な知識人であった。

もっとも牧野さんは『回顧録』をみれば分るように、日本人として考え得る最も恵まれた境遇で人と成り、かつその人生の大半を送られたので、誰にでも牧野さんのような世界観を期待することは無理であろう。維新三傑の一人、大久保利通の二男として生れたのが文久《ぶんきゅう》元年、すなわち米国に南北戦争の始まった年である。そして明治四年に、岩倉使節が米国および欧洲《おうしゅう》へ派遣された時に、十一歳で父大久保卿《きょう》に伴なわれ、兄とともに米国へ渡り、十四歳まで米国で教育を受けた。

初めは幼年学校に入ったが、間もなく費府《フィラデルフィア》の中学校に入学し、ただ一人の日本人として、校長住宅を兼ねた寄宿舎で、米国の子供としての生活をし、正式の教育を受けた。「学業の方では他の子供に譲らぬほどにやって、その点では校長にも喜ばれた。

学課は算術、歴史、地理その他にラテン語等があった。しかしとにかく十一歳から十四歳までの間、一番勉強しなければならない時に外国にいて、日本の学問は何も出来ていないのだった」。その点を十四歳の牧野さんが「自分でも気付き」帰国することになった。

帰国したのは、明治七年であった。その時には、東京には後の東京帝大の前身たる開成学校がすでに開かれていて、そこへ入学した。注意すべきことは、牧野さんは、予備科を終ってから、文学部の和漢文学科へ進まれたことである。当時の開成学校の授業はほとんど全部英語で行われていたので、米国で正式の中学教育を終えた牧野さんにはきわめて楽であった。それで「日本の学問は何も出来ていない」のを補うために、和漢文学科を選んだのである。英語ができるから貿易科を選ぶというようなのとは、根本的に考えがちがっていた。

開成学校での勉強は、五年間つづいた。そして「十九の時に、まだ大学だったが、漢学も人並かと信じ、もう一度海外へ渡って外国の様子を見てきたい」と思われた。それで外務省の書記生になって、ロンドンへ在勤した。

ロンドンでは英国の上流の家庭に入って、「行儀作法、着物の着方、訪問の仕方等を習得するように努め、仕立屋も一流のを選んで服を註文した」。本も盛んに読み、主として小説特にスコットのものを耽読《たんどく》された。小説を読むのも「社交の際に話の種にもなり、また風俗人情を研究する上でも色々と教えられる所があるからだ」った。ロンドンタイムスは毎朝これを日課として読み、議会にもたびたび傍聴に行き、グラッドストーンとディスレーリの論戦に傾聴《けいちょう》されたこともあったそうである。

二十歳の日本の一青年が、すでに英語を身につけ、漢学の専門的素養をそなえ、英国紳士としてタイムスを読み、グラッドストーンの演説に傾聴したのである。そしてその知的精神力は、九十歳の老齢に達するまで、少しも衰えを見せなかった。この人を保守と呼び、頑迷《がんめい》と罵《ののし》って、狙撃《そげき》したいわゆる青年将校たちとは、初めから人間がちがっていたのである。環境のちがいはもちろんあるが、それればかりではないように思われる。十一歳で米国へ渡ったのも、自分から父大久保卿にねだってのことであり、「日本の学問は何も出来ていない」と「自分でも気付いた」のは、十四歳の時であった。

ロンドン滞在中、牧野さんは、英国の地方自治制度を研究し、民主政治の根本は地方制度にあることを確信された。そしてたまたま憲法取調べのために欧洲へ来られた伊藤博文公に、日本の地方制度に関する意見書を差し出された。伊藤公はそれに対して、鄭重《ていちょう》な返事を書き、「御帰朝之上ハ御面晤ヲ得詳細御商議可申候」と約束された。

意見書もその返事も、ともに『回顧録』の中にあるが、現在の政治家や、二十歳程度の大多数の青年たちの言動とくらべて、別の世界という感が深い。

帰朝後牧野さんは黒田総理の秘書官をしばらくつとめ、内閣記録局長に転じた。これは普通の役人にとっては隠居仕事であるが、牧野さんにとっては、よい勉強の機会であった。当時の日本は、現在も同じことであるが、思想の混乱期で、「極端な主義や政綱を丸呑《まるの》みにする傾向が一般に強かった」。ところが記録局に来る外国の刊行物をみると、中には中正穏健な論説が少なくなく「ただ一読するに止めるのが惜しいので、そのうちでも権威ある学者によって書かれたもので内容が殊に充実している記事、論説を翻訳して」『政治一班』という雑誌として、広く頒布する仕事をはじめられた。それはかなりの反響があった。こういう仕事のできる局長は、現代の役人にはないであろう。それにたとえそういう人があっても、その反響などはあまりないであろう。

この勉強時代の後、牧野さんは三十一歳の時に、福井県知事として地方に出て、三十三歳で文部次官に就任された。次官時代には、岡倉天心とはかって、美術学校の創設という意義深い仕事をされた。

牧野さんの外交官生活は、それから後のことである。二年間のイタリー在留の後、ウィーンの公使として、十年近く在勤された。そして明治三十三年の北清事変と日露戦争との波紋を、欧洲の一角で体験された。当時のウィーンは、宮廷政治華やかな文化の香り高い都であった。リストやワグナーの時代から、十年あまりしか隔っていないころのウィーンでの公使の生活は、非常に興味の深いものであったらしい。

その時代のことは、いろいろ話を聞いたが、『回顧録』にくわしい記録が残っているので略することにする。ただある晩、松濤の御屋敷で、今日は珍しいものを御馳走するといって、古い葡萄《ぶどう》酒を出されたことがあった。「ウィーンから帰る時に持ってきたものだが、自分では酒はのまないので、縁の下に放り込んでおいて忘れていた。先日それが出てきたので」ということであった。コルクもぼろぼろになり、おりがすっかりたまっていたが、リスト時代のおりだと思って、ありがたく飲んだ。安倍さんは「正に醇《じゅん》の醇なるものですね」と大恐悦であった。

その時だったか、別の機会だったか忘れたが、安倍さんがすっかり御機嫌になって、葡萄酒の罏を捧《ささ》げもって、峯子老夫人の前へ行って御酌をされた。「僕はフェミニストでありますから、一つ御酌をしましょう。今日はあなたも婦人と認めます」といわれた。牧野さんは「それは光栄だな」と珍しく大笑いをされ、一座大いにはしゃいだ。

この峯子夫人は、有名な三島通庸《みしまみちつね》の次女であった。牧野さんは英国から帰られて、兵庫県の大書記官（今の副知事）をされていた時代に結婚されたのである。爾来《じらい》牧野さんの全生涯は、淑徳聡明《しゅくとくそうめい》をもって有名なこの夫人に負うところが多かったということである。牧野さんは、宮中に関することは、滅多に話されなかったが、峯子夫人からは時々そういう話もきいた。

昭憲皇太后は、明治天皇の前では、決して座布団の上に坐《すわ》られなかったようなつつましい心使いの方であったそうである。しかし非常にしっかりしておられて、いつか大《おお》御縁側でおぐしをあげておられた時に、大きな蛇が一匹上ってきたことがあった。大内山《うちやま》には野鳥や野獣がかなりいて、蛇などもたくさんいたらしい。皇太后は少しも慌てる気ぶりをお見せにならないで、両袖《そで》でしっかりその蛇の頭と尾とを押えて、そっと縁下にお棄《す》てになったことがあったそうである。畳の上にしゃんと坐って、両袖を張って、その身振りをしてみせられる峯子夫人の姿には、昭憲皇太后の面影がしのばれるような気がした。

戦争が大分ひどくなったころ、峯子夫人が亡くなられた。その時は牧野さんもずいぶん弱られたらしい。家庭内のすべての仕事は、夫人が全部とりしきっておられたので、あとのことを皆さんがたいへん心配された。しかし牧野さんは、少くも外面的には少しも弱りを見せられなかった。もっとも長男の伸太郎さんの奥さん純子夫人が、立派に老夫人のあとをついで、牧野さんを最後まで看とられたのである。

空襲が大分ひどくなったころ、もう物資もすっかり不自由になっていたが、珍しく鶏を貰ったからというので、武見さんと一緒に伺ったことがある。純子夫人の御料理で、鹿児島の旧《ふる》いしきたりの鶏汁を御馳走になったのである。一日とか半日とかゆっくり煮込む流儀の料理だそうである。「代々私の家では、こういう風な料理をしたものだ。鹿児島の古い習慣だが、美味《うま》いものだよ」と牧野さんはいっておられた。いかにもいい意味での封建の磨きのかかったような料理であった。近代的の教養を身につけ、しかもこういう流儀の料理も本格的にできる純子夫人が、牧野さんの晩年に最後まで附き添われたことは、仕合せであったと思う。『回顧録』の初めのところに、牧野さんの祖父、すなわち大久保卿の父である大久保次郎右衛門氏が、客好きで、よく若い者を集めて、鶏汁などを振舞ったという話が載っている。大山巌さん（後の大山元帥）などもよく往来で「今夜来ないか、鶏を食わせてやる」という招待を受けられた由。それを読んで、私は松濤の奥の居間での、その夜の牧野さんの機嫌のよかった顔を思い出した。

話は少し前に戻るが、戦争がはじまってからまだ一年くらいのころ、世間はいわゆる緒戦の戦果に酔っていたが、牧野さんは、日本の科学兵器のことをひどく心配しておられた。東条らのやり方では、日本の科学技術は進歩するはずがないというようなことを、時々もらされた。そして島津斉彬公の治績を賞揚《しょうよう》されて、その言行録の出版を考えておられた。それを政府の要路の人たちに読ませたいというような気持があったらしい。そしてそれは牧野さんの長文の序文をつけて、岩波文庫として出ることになった。牧野さんはその出版を待っておられたが、当時の印刷事情では、なかなか進行しなかった。けっきょく敗戦の前年の十一月に、やっと出版された。

『島津斉彬言行録』は、牧野さんの推奨に値する驚くべき本であった。私は一読、科学の精神に徹した稀《ま》れな日本人の一人として、初めて斉彬公の面目をうかがい知った。科学と権力とは、普通には両立し得ないものである。当時の軍に対して、科学を求めることは、この原則からいっても無理な註文であった。きわめて稀れな場合に、その両者が一致する。そしてその時には新星の出現のような光芒《こうぼう》を発するのである。斉彬公の場合が、そのきわめて稀れな一つの例であったと私には思われた。

読後私は、解説なしでは、一般にはこの書の真意は理解されないであろうと考え、かなり長い解説を書いて、牧野さんのところへ送った。これは後に、『科学の芽生え』と題する小冊子として印刷に付した。牧野さんはたいへん喜ばれて、斉彬公の科学精神が、あれほど高いものだとは知らなかったという意味の返事が来た。それには、しかしこの書を要路の人に読んでもらうには、もう手おくれだと書き添えてあった。

そのとおりであって、間もなく三月十日の大空襲で、日本は全く防禦《ぼうぎょ》不能の状態にあることが立証され、五月の空襲では、宮中が炎上しても、手の出しようがなかった。その時牧野さんの松濤の御屋敷も全焼し、牧野さんは身をもって逃れられた。それで武見さんは、前に書き落したが、武見さんの奥さんは牧野さんのお孫さんに当るので、万事をとりしきって、千葉の柏《かしわ》へ避難させた。武見さんの家のすぐ近くに、二室ばかりの部屋を借りて、そこが牧野さんの仮りの住居となった。

戦争もいよいよ最後の段階に達したころ、すなわち終戦の夏の初めのある晩、武見さんに案内されて、その仮りの住居を訪ねたことがある。月のない夜で、灯火管制のために、全くの暗闇であった。武見さんの懐中電灯の微《かす》かな光に案内されて、畑中の小道を、露の降りた草を分けながら、たどっていった。真暗の中を、竹藪《たけやぶ》の横を折れ、生垣に沿っていくうちに、夏のズボンがすっかり露に濡《ぬ》れてしまった。足許《あしもと》の悪い道を歩きながら、なんという理由もなく、「七卿落」という言葉がふと思い出された。

庭らしいところに入ると、かすかな光が縁先から洩《も》れていた。縁に上ると、八畳と六畳とが続いて、それに縁側がついた一棟であったように思い出される。庭の様子は暗くて分らない。そのうす暗い縁先に籐の椅子をおいて、牧野さんが坐っておられた。相変らず端然《たんぜん》とした姿であった。罹災《りさい》の話や、現在の生活の話などはほとんど出ず、松濤の時と同じように、戦争の前途とか、科学における彼我の差とかいう点について、静かに話をされた。

八十五歳になって、つい前の年には生涯の伴侶《はんりょ》であった峯子夫人を失い、今また戦災によるこの不自由をみながら、ちっとも衰えを見せておられなかった。武見さんの言葉によると「親爺《おやじ》（大久保卿）は暗殺され、自分も湯河原《ゆがわら》で生命を落すところだったんだもの。ほんとうに生命《いのち》がけの場面を何度も通ってきた老人にはかなわない」のである。そういえば、いつか牧野さんは「私はどういう巡り合せか、暗殺とは縁があってね」という話をされたことがある。原敬《はらたかし》とは東京駅の悲劇の日に打合せの用事があり、森有礼《もりありのり》の暗殺にも、星亨《ほしとおる》のそれにも因縁があった。それから大隈重信《おおくましげのぶ》遭難の爆音もきかれた由である。生命がけという言葉も、文字で読むのと、身近に体験するのとでは、質的のちがいがあるのであろう。

この仮りの住居の後、やっと近くに家が見つかって、その寓居《ぐうきょ》で牧野さんは終戦を迎えられ、そして柏がついに終焉《しゅうえん》の地となった。私が直接見聞したことではないが、あの終戦の奇蹟《きせき》が、現実にこの日本の国に生まれたのには、牧野さんの力が大いにあずかっていたのである。広島の新爆弾は、数日にして、原子爆弾と確認されたのであるが、その威力の恐しさをリアライズして考えうる人は、当時の我が国の最高指導者の中には非常に少かったのである。軍の主脳者たちの中には、この「新爆弾」による広島の壊滅《かいめつ》を、サイパンの陥落や、聯合《れんごう》艦隊の全滅と、同じレベルで考えていた人が多かった。

混乱と狂燥《きょうそう》との世紀の渦巻の中で、牧野さんの知性は、ますますその輝きを増した。信頼しうる原子物理学者の意見を一言きくと、牧野さんは直《ただ》ちにことの重大性をリアライズされた。そして困難な情勢の中で、参内を決行されたのだそうである。終戦の奇蹟のよって来たるところは、ジャーナリズムには、恰好《かっこう》の題目であろう。しかし直接見聞したことではないので、あまり立ち入らないことにする。ただ牧野さんが、その八十九年の生涯の最後の御奉公として、民族を「玉砕」から救うべく、身を挺《てい》されたことは事実だと思っている。

終戦後は立場がすっかりかわった。「バドリオ」としての監視から解放され、いろいろな訪問客があるようになった。その中には、外国通信社の人たちもあり、千葉の寓居も大分賑《にぎ》やかになった。しかし牧野さんは、軍閥の重圧下にあった時と、少しも変らぬ静かな生活をしておられた。もっとも精神の方はしっかりしておられたが、急に身体は衰えられたような気がした。敗戦の痛手がよほどこたえたのであろう。

生活は相変らず質素であった。終戦の次の年だったか、内原《うちはら》の加藤完治氏のところで講演を頼まれ、その御礼に味噌《みそ》を貰ったことがある。帰りに柏へ寄ったので、その味噌を牧野さんのところへ差上げたところ、久し振りで味噌汁が吸えるといって、たいへん喜ばれた。いわゆる大衆というものは、戦争中は竹槍《たけやり》をかついで歩き廻り、敗戦後は、自分たちを焦土《しょうど》から救ってくれた人に、味噌汁も吸わせない人種のことらしい。

終戦後の牧野さんの楽しみの一つは、『回顧録』の出版であった。第一巻の後記に吉田健一氏が書かれているように、口述とはいいながら、全篇にわたって牧野さんの筆がはいっているので、著述とみてよいものである。志賀（直哉）さんの熱心なすすめによって着手されたこの仕事は、重大な意味をもった仕事であった。第二巻が本になった時には、牧野さんはすでに最後の病床にあった。この第二巻は明治天皇の崩御《ほうぎょ》で終っている。その後第一次の世界大戦、講和会議、軍縮問題、軍閥の擡頭《たいとう》、満洲事変と、目まぐるしい走馬灯の国の姿は、第三巻以下に残された。その一部は『松濤閑談』に納められているが、永遠に歴史の闇に葬り去られた資料もかなりあったことであろう。「第三巻ができなくて残念でした。口述のための手記はすっかりできていたのですが、誰にも読めないいんです。おじいさまも心残りのようでした」と、純子夫人は述懐しておられた。

一月二十六日の午後、柏の御宅へ伺った時に、ちょうど勅使《ちょくし》がおいでになった。純子夫人は枕頭にきちんと坐って、三宝を捧げ、「ただ今、従一位に叙せられました」と挨拶《あいさつ》された。次の間に並んでいた親戚の方たちは、静かに頭を垂れた。

控の間で、わずかの隙をみて、純子夫人が臨終の時の様子を話された。いよいよ御自分でも最後と思われたらしく、枕頭の純子夫人たちに、「いろいろ御世話になってありがとう」と挨拶をされたそうである。そして「世の中で一番むつかしいことは、私《わたくし》をなくすることだ。自分は悪いことはしなかった」といわれた。それが最後の言葉であった由である。

純子夫人は「御教訓はよく分りました。おじいさまはえらい方でした。私たちもおじいさまの御名前を汚さないようにつとめます。」と挨拶された。牧野さんはよく分ったらしく、うなずいて苦笑いの表情を示されたそうである。臨終の床でのこの苦笑いに、牧野さんは最後の知性を示されたような気がする。

あとがき

　この小冊子は、私が今までに書いたものの中から、表題の『科学と人生』というのに、縁のありそうな文章を集めたものである。

　人生論風なものは、今まであまり書かなかったし、また柄《がら》でないことも、よく知っている。それで一冊分まとめるとなると、ずっと前に書いたものも入れなければならなかった。たとえば、「名医の話」のように、戦争中に書いたものも、集録した。「科学と政治」は、終戦後の混乱がまだ抜けなかったころに書いたものである。あとのものも、大部分は、終戦後五年以内くらいに書いたので、現在とは大分異っていた国情の下に書かれた文章である。

　今度まとめるについて、ちょっと迷ったのは、執筆年次につれて、もとのままにしておくか、少し字句を訂正して、年代などを揃えておくかという点であった。けっきょく後者にすることにして、「もう十年前の話であるが」というのは、「もう二十年前の」という風にした。「現時の大戦中では」は、したがって「太平洋戦争中は」というふうになおした。文意や論旨は、もちろんもとのままである。

戦争中に書いたものも、敗戦直後の占領軍治下での文章も、反米思想華やかな現在書いたものも、一冊にまとめてみて、そうちぐはぐでもないように思われたので、あえてこういうことをしてみた。とんだ自惚《うぬぼ》れだと嗤《わら》われるかもしれないが。

最初の「科学と人生」は、中等理科教科書『自然』を編纂《へんさん》した時に、巻末につけた文章である。私は大真面目に書いたつもりであったが、あまり風変りなものは、教科書としては不適当らしいので、改訂の時には削除した。しかし棄《す》てるのは惜しいので、本書に入れることにした。

昭和三十一年五月　於札幌

宇吉郎記

解　説

永田和宏

私が初めて中谷宇吉郎の名を知ったのは、彼の代表的なエッセイ「立春の卵」を読んだときであろうと思う。今から五〇年以上も前、私がまだ京都大学の学生の頃であった。

私の専門は細胞生物学ということになっており、細胞の内部、特に小胞体《しょうほうたい》というタンパク質を作るのに特化したオルガネラ（細胞小器官）における、タンパク質の品質管理に関する研究を行ってきた。もう少し広く、タンパク質の恒常性維持機構に関する研究と言ってもいい。平たく言うと、タンパク質が正しく作られるためのメカニズムの研究であり、もしも何らかの原因によってタンパク質の構造が壊されたとき、どのようにその変性したタンパク質を処理するかという細胞に備わった危機管理のメカニズムの研究でもある。このメカニズムが破綻《はたん》するとアルツハイマー病、パーキンソン病といった神経変性疾患を引き起こす原因ともなる。

研究者としての私の経歴は細胞生物学者ということになるのだが、実は学生時代は物理学科で学んでいた。高校時代に物理のおもしろさに目覚め、私たちの世代の多くの若者がそうであったように、物理をやるなら湯川秀樹《ゆかわひでき》博士のいる京都大学へ、ということで京大理学部に入学。迷うことなく物理学科へ進学した。そこまでは良かったのだが、三回生から四回生になるあたりで、敢《あ》え無《な》く物理から落ちこぼれてしまった。挫折《ざせつ》、曲折を経ながら、それでも細胞生物学の分野で、これまでの人生を研究者として生きて来たことになる。その経緯についてはここで書くべきものではないが、私はもう一つ、歌人として活動を続けてきた。ほんとうは物理からの落ちこぼれは、短歌の魅力に取りつかれたことと、恋人がやはり歌人であったことが大きな原因でもある。科学と文学のどちらも捨てられなかった人間として、科学者の書くエッセイなどには自《おの》ずから親近感を感じざるを得なかった。

ともあれその学生時代、なぜかエッセイとしては物理学者のものが断然おもしろかったのは、私が物理学科に属していたからというわけではないだろう。不思議なことに、わが国の物理学の世界にはエッセイの系譜といったものがあって、私の狭い視野のなかだけでも、寺田寅彦《てらだとらひこ》に始まり、その弟子である中谷宇吉郎、坪井忠二《つぼいちゅうじ》。中谷に師事した樋口敬二《ひぐちけいじ》。直接の師弟関係はないが、それらの先達に続いて、湯川秀樹、朝《とも》永振一郎《ながしんいちろう》という二人のノーベル物理学賞の受賞者も、揃って多くのエッセイ集を残し、多くの読者を持っている。

科学を生業としている研究者たちが、とりわけ物理という「モノの理」を追究しようとしている研究者たちが、自分の専門外の〈文筆における活動〉を当然のように行ってきたこと、それも単なる余技としてではなく、文筆家としての十分な技量を発揮しての活動であったことは特筆されるべきことであろう。個々人の活動というだけではなく、それが次々に継承されてきたことの意味は大きい。

翻って、私の専門に近い生命科学の分野では、専門の領域できちんとした成果を残しつつ、かつエッセイの書き手としても大きな評価を受けているという研究者はどうも少ないように思われる。不思議なことだ。なぜなのだろう。生命科学の方が、たとえば量子力学などより、よほど私たちの日常生活に近いはずなのだが、それがエッセイとして一般に波及しないのはなぜだろう。物理より生命科学のほうがあとになって発達した分野であり、その分、研究に追われて、文章を書く時間が取れないなどという実際的な問題もあるのかもしれないが、どこか物理という分野の持っている、独特の余裕というものが、そのような優れたエッセイの書き手を許し、育てているのかも知れないなどとも思っているのである。

さて、中谷宇吉郎である。

私がもっとも多く読んだのは、寺田寅彦のエッセイであり、全集まで買ってしまった。しかし、好きな書き手はと言われると、個人的な好みとしては朝永振一郎と中谷宇吉郎の文章が好きだった。『鏡のなかの世界』などに展開される朝永の軽妙な文体は楽しかったし、一方で、きわめて真面目な文体でありながら、清潔感のただよう、水の流れのような中谷の文章も読むのが好きだった。

本書『科学と人生』は、既に角川ソフィア文庫として出ている『雪と人生』と対をなす一冊と言えるだろう。『雪と人生』の諸篇の多くは、戦前、すなわち太平洋戦争の前、比較的初期に書かれた文章が多いのに較べ、本書『科学と人生』の文章は、多くが戦後数年のうちに書かれたものを中心に編まれている。この時代的な特質を押さえておくことは、本書を読むうえで大切なことであると思われる。

敗戦という形で戦争は終わった。精神性ばかりが強調され、さまざまの視点を動的に導入しつつ、多角的、多層的に世界を見るという思考が圧殺されてきた時代が終わった。時代が変ろうとする結節点で、さまざまの価値観が一変していくなかで、さあこれからは科学の時代だという声が強くなる。科学によってこそ国家の再建は可能になるという声が新聞などで見られるようになる。

それを是としつつも、中谷はその単純な科学への依存性を慎重に見極めるべきだと考える。これまで武力、戦力に百パーセント依存してきた国民的な共同幻想が、そのまま科学へとシフトするだけなら、それは戦前・戦中の精神風土となんら変らないではないか。そんな風潮への中谷の危機感が、そこにはあったはずである。

中谷自身も、これから国家が科学を基本に動くことを大切と思ってはいるのだが、科学とは何かを考えないままに、科学への妄信に近い依存への危うさを自ら強く感じていたのであろう。劈頭《へきとう》の一篇「科学と人生」のサブタイトルに「若い人々のために」と付されているが、まさにこれからの国を担うべき「若い人々」にこそ、科学とは何かを考えて欲しいというメッセージであったはずだ。

その冒頭に、次のような一節がある。


科学を学ぶと、得るところが二つある。一つは科学上のいろいろな知識を得られることであり、もう一つは科学的なものの考え方ができるようになる点である。この後者のほうが非常に大切なのであって、このほうはどんな職業についている人、どんな階級の人にも、大いに役立つものである。

これは実は、この一篇「科学と人生」だけの主張ではなく、本書全編を貫く主張でもある。中谷の文章は、科学者として、科学の知識を一般の人々に伝え、共有するというところにその主眼があるのではなく、「科学的なものの考え方」そのものを一般社会と共有することをこそ願っていたはずである。

中谷宇吉郎の「科学的なものの考え方」は、冒頭に挙げた「立春の卵」にもっとも代表的な形で描かれているし、本書に収められた諸篇、たとえば「科学と政治」における論の進め方を読めば容易にそれを実感することができるだろう。

社会には、改めて問い直すこともなく信じられている、あるいは受け容《い》れられている定説や理論、あるいは言い伝えの類《たぐい》が多くある。立春になると卵が立つ、などはその典型であろうが、中谷は、それらがほんとうに科学的に正しいのかどうか、一つ一つの可能性について丹念に検証を進めていく。

その手つきがいかにも真っ正直で、当たり前として通り過ぎたり、ネガティブな証拠を無視して飛び越えたりすることがない。普通なら数行で片付けてしまいたくなるようなものでも、可能性として考えられる場合には、数ページを費やして一つ一つを検証していくといった風である。早く結論を言ってくれと、気の短い読者なら言うのかもしれないが、中谷の文章はあくまで検証の精度を緩めるようなことはしない。

しかし、それがまどろっこしかったり、退屈だったりすることがまったくないのは不思議なほどである。敢えて凝った修辞などがほとんどないことで、読者は中谷の思考の歩幅と同じ速度で自らも辿《たど》れるように感じ、同じ歩幅で自らも論考を進めているといった感覚に浸りながら読むのである。そして、意識しないままに、科学というのは、このような論理回路を通って、ものごとをゼロメートルの地点から検証していくのだということを納得していくのかも知れない。

二〇二〇年から、いま私がこれを書いている二〇二二年まで、世界は新型コロナウイルスのパンデミック、世界的大感染に見舞われ、社会の活動に大きな支障をきたしてきた。歴史的にみれば、一九一八年からのスペイン風邪以来の、まさに百年に一度の経験である。しかし今回ほど、科学（サイエンス）と一般社会、民衆との距離が縮まったことは、人類の歴史上一度もなかったと言うべきだろう。一般社会、庶民にとっては、科学というのは決してすべてがわかっているというものではなく、あくまで現在進行形のものなのだという実感とともに、しかし、科学の知識なくしては、この困難を乗り切るのがむずかしいという実感も味わったはずである。

そしてそんな時代だからこそ、中谷が戦後すぐに発表した本書の諸篇に込めた思いを、現在の自分たちに逆照射して味わうべきなのである。それは、科学の知識を得ることではなく、「科学的なものの考え方」とは何かを学ぶことであるはずである。

本書のタイトルは「科学と人生」であるが、その「人生」に当たる部分として、中谷は、雪氷の研究者としての自らの来し方を語っている。昭和天皇を北大に迎え、雪の結晶を実験室で作ってお見せするというスリリングな体験も実に臨場感たっぷりに描かれているし（「雪今昔物語」）、肝臓ジストマに感染して、自身の命さえ危うくなったところからの回復までのプロセスにもリアリティがある（「ジストマ退治」）。あるいは私などもほとんど知らなかった幸田露伴《こうだろはん》のサイエンスへの飽くなき興味（「露伴先生と科学」）、師事した寺田寅彦の研究室での回想や寺田寅彦その人の思い出（「寺田研究室の思い出」）など、それらのどれにも、中谷宇吉郎の「人生」そのものが色濃くあらわれている。

それら自らの人生に膚接《ふせつ》するような人々との交わりを描くときにも、中谷の筆は過剰に感情移入することも、思い入れ強く褒めたたえることもなく、淡々と進んでいくのが快い。そんななかで、戦争直後の、自らの幼い子供たちとともにあった回想を描いた一篇が「イグアノドンの唄――大人のための童話――」である。

終戦の年の冬を、中谷宇吉郎の一家は、羊蹄山麓《ようていさんろく》の疎開先で送ることになった。有島武郎《ありしまたけお》の『カインの末裔』の土地でもあり、北海道でも殊に寒さの厳しい、吹雪の怖しい地である。自然の猛威の他に食糧危機が人々に脅威を与えていた頃である。

一家が肩を寄せ合うように過ごす冬の夜、中谷は偶然疎開の荷物から見つけたコナン・ドイルの『失われた世界《ロスト・ワールド》』を子供たちに読み聞かせる。英語版だから、訳しつつ自らの言葉で語ったのだろう。小説だとは言わず、実話だとして、子どもたちをその不思議の世界の虜《とりこ》にしていくまでの描写は、ぜひ本文で味わっていただきたいものである。

「ロスト・ワールド」のなかで子供たちのもっともお気に入りは、「大きいくせにおとなしいイグアノドン」であった。ジュラ紀の怪獣である。

イグアノドンが、子供たちの間でいかに人気があったかは、次の唄でも十分うかがうことができる。

　　イグアノドンの背中に
　ゴリラが乗ってった　乗ってった

ゴリラの背中に
お猿が乗ってった　乗ってった
お猿の背中に
鼠が乗ってった　乗ってった
鼠の背中に
蚊《か》とんぼが乗ってった　乗ってった
蚊とんぼの頭の上を
艦載機《かんさいき》が飛んでった　飛んでった

このイグアノドンの唄を作ったのは、下の男の子である。自分の国の敗戦も、自分の身体の栄養低下も、実感としては何も知らなかった子供たちは、カインの末裔《まつえい》の土地で、「イグアノドンの唄」をうたって、至極ご機嫌であった。しかしその男の子は、その後間もなく、栄養低下が禍《わざわ》いして、仮りそめの病気がもとで、急に亡くなってしまった。しかし生き残った娘たちは今はきわめて元気である。

その終わりに近く出てくるこの一節に私は衝撃を受けた。中谷の文体は常に淡々と、過剰な屈折を感じさせることなく進んでいくのであるが、実に何気なく語られる子供たちのささやかな喜びと、それに続く最愛の末っ子の死。それが他の部分とまったく同じトーンで短く語られるところに、中谷宇吉郎の深い悲しみが却《かえ》ってなまなまと感じられたのである。

この章の最後は、成長した長女が、ある時中谷の入院した病室に付き添いとしてやってきたときの描写で終わっている。長女はかつての『ロスト・ワールド』をベッドサイドで夢中で読みふけっている。それを見つつ、「それでよいのだ、生きる者はどんどん育つ方がよいのだと、私は目をつぶって寝入ることにした」という一語で、この章は終わっている。

他の章と同様、いかにもさり気ない、感情を抑えた一文であるが、科学者として功成り名を遂げた一人の人生にも、このようなドラマがあったことを、しみじみと思うのである。

本書で私は、中谷宇吉郎がいかに「科学的なものの考え方」を大切に、そしてそれを実行してきたかを読み取りたいと思っている。しかし、その背後に、人間中谷宇吉郎の人生が確かに感じられることによって、その科学者としての態度に、あたたかな血の存在を感じとれることが大切なのだろうと改めて思うのである。

（JT生命誌研究館館長、
京都大学名誉教授・京都産業大学名誉教授）

（付記：一点だけ、中谷が「原爆」について言及するときの表現に強い違和感を覚えたことだけは、率直に言っておきたい。科学がその成果として原爆という怪物を生み出したことについて、科学者としてもっと慎重な言葉を択《えら》んで欲しかったと思うのである。もっとも中谷がこれらのエッセイ、評論を書いた時期の日本では、科学者にとっても、まだ原爆がそれほどの巨悪として認識されていなかったことも事実で、現時点の見方から、中谷だけにそれを要求するのは酷であるのかもしれない。）

編集付記

一、本書は、一九五六年に河出書房から刊行された『科学と人生』を底本とした。

一、明らかに誤りと思われる箇所については、『中谷宇吉郎随筆選集』（朝日新聞社）、『中谷宇吉郎集』（岩波書店）などを校合のうえ適宜修正した。

一、小社基準に則り、難読と思われる語や地名・人名には、改めて現代仮名遣いによる振り仮名を付し直した。

科学《かがく》と人生《じんせい》

中谷宇吉郎《なかやうきちろう》

令和4年 2月25日　初版発行

発行者●青柳昌行

発行●株式会社KADOKAWA
〒102-8177　東京都千代田区富士見2-13-3
電話　0570-002-301(ナビダイヤル)

角川文庫 23071

印刷所●株式会社暁印刷
製本所●本間製本株式会社

表紙画●和田三造

Printed in Japan
ISBN 978-4-04-400688-4　C0195

◇◇◇

角川文庫発刊に際して

角　川　源　義

第二次世界大戦の敗北は、軍事力の敗北であった以上に、私たちの若い文化力の敗退であった。私たちの文化が戦争に対して如何に無力であり、単なるあだ花に過ぎなかったかを、私たちは身を以て体験し痛感した。西洋近代文化の摂取にとって、明治以後八十年の歳月は決して短かすぎたとは言えない。にもかかわらず、近代文化の伝統を確立し、自由な批判と柔軟な良識に富む文化層として自らを形成することに私たちは失敗して来た。そしてこれは、各層への文化の普及滲透を任務とする出版人の責任でもあった。

一九四五年以来、私たちは再び振出しに戻り、第一歩から踏み出すことを余儀なくされた。これは大きな不幸ではあるが、反面、これまでの混沌・未熟・歪曲の中にあった我が国の文化に秩序と確たる基礎を齎らすためには絶好の機会でもある。角川書店は、このような祖国の文化的危機にあたり、微力をも顧みず再建の礎石たるべき抱負と決意とをもって出発したが、ここに創立以来の念願を果すべく角川文庫を発刊する。これまで刊行されたあらゆる全集叢書文庫類の長所と短所とを検討し、古今東西の不朽の典籍を、良心的編集のもとに、廉価に、そして書架にふさわしい美本として、多くのひとびとに提供しようとする。しかし私たちは徒らに百科全書的な知識のジレッタントを作ることを目的とせず、あくまで祖国の文化に秩序と再建への道を示し、この文庫を角川書店の栄ある事業として、今後永久に継続発展せしめ、学芸と教養との殿堂として大成せんことを期したい。多くの読書子の愛情ある忠言と支持とによって、この希望と抱負とを完遂せしめられんことを願う。

一九四九年五月三日

角川ソフィア文庫ベストセラー

銀座アルプス
寺田寅彦

近代文学史の科学随筆の名手による短文集。「電車と風呂」「鼠と猫」「石油ランプ」「流言蜚語」「珈琲哲学序説」等30篇。写生文を始めた頃から昭和8年まで、寅彦の鳥瞰図ともいうべき作品を収録。

科学歳時記
寺田寅彦

電車、銀座の街頭、デパートの食堂、花鳥草木など、生けるものの世界に俳諧を見出し、人生を見出して、科学と融合させた独自の随筆集。「春六題」「蓑虫と蜘蛛」「疑問と空想」「凍雨と雨氷」等39篇収録。

科学と文学
寺田寅彦

日本の伝統文化に強い愛情を表した寺田寅彦は、芸術の本質に迫る眼差しをもっていた。科学者としての生活の中に文学の世界を見出した「映画芸術」「連句雑俎」「科学と文学Ⅰ」「科学と文学Ⅱ」の4部構成。

ピタゴラスと豆
寺田寅彦

随筆の名手が、晩年の昭和8年から10年までに発表した科学の新知識を提供する作品を収録する。表題作をはじめ、「錯覚数題」「夢判断」「三斜晶系」「震災日記より」「猫の穴掘り」「鳶と油揚」等全23篇。

読書と人生
寺田寅彦

近代市民精神の発見であると共に、寅彦随筆の転換となった「丸善と三越」をはじめ、「読書論」「人生論」「科学者とあたま」「科学に志す人へ」「わが中学時代の勉強法」「『徒然草』の鑑賞」等29篇収録。

角川ソフィア文庫ベストセラー

天災と日本人
寺田寅彦随筆選

寺田寅彦
編／山折哲雄

地震列島日本に暮らす我々は、どのように自然と向き合うべきか——。災害に対する備えの大切さ、科学と政治の役割、日本人の自然観など、今なお多くの示唆を与える、寺田寅彦の名随筆を編んだ傑作選。

春宵十話

岡　潔

「人の中心は情緒である」。天才的数学者でありながら、思想家として多くの名随筆を遺した岡潔。戦後の西欧化が急速に進む中、伝統に培われた日本人の叡智が失われると警笛を鳴らした代表作。解説：中沢新一

春風夏雨

岡　潔

「生命というのは、ひっきょうメロディーにほかならない。日本ふうにいえば〝しらべ〟なのである」——科学から芸術や学問まで、岡の縦横無尽な思考の豊かさを堪能できる名著。解説：茂木健一郎

夜雨の声

岡　潔
編／山折哲雄

世界的数学者でありながら、哲学、宗教、教育にも洞察を深めた岡潔。数々の名随筆の中から科学と宗教、日本文化に関するものを厳選。最晩年の作「夜雨の声」ほか貴重な作品を多数収録。解説／編・山折哲雄。

風蘭

岡　潔

人を育てるのは大自然であり、その手助けをするのが人間である。だが何をすべきか、あまりにも知らなさすぎるのが現状である——。六十年後の日本を憂え、警鐘を鳴らした岡の鋭敏な教育論が冴える語り下ろし。

角川ソフィア文庫ベストセラー

一葉舟
岡　潔

「人が現実に住んでいるのは情緒としての自然、情緒としての時の中である」——。釈尊の再来と岡が仰いだ山崎弁栄の言葉や芭蕉の句を辿り、時に脳の働きにも注目しながら、情緒の多様な在り方を探る。

青春論
亀井勝一郎

青春は第二の誕生日である。友情と恋愛に対峙する「沈黙」のなかで「秘めごと」として自らの精神を育てなければならない——。新鮮なアフォリズムに満ち生きることへの熱情に貫かれた名随筆。解説・池内紀。

文学とは何か
加藤周一

詩とは何か、美とは何か、人間とは何か——。後年、戦後民主主義を代表する知識人となる若き著者が果敢に挑む日本文化論。世界的視野から古代と現代を縦横に行き来し、思索を広げる初期作品。解説・池澤夏樹。

陰翳礼讃
谷崎潤一郎

陰翳によって生かされる美こそ日本の伝統美であると説いた「陰翳礼讃」。世界中で読まれている谷崎の代表的名随筆をはじめ、紙、厠、器、食、衣服、文学、旅など日本の伝統に関する随筆集。解説・井上章一

恋愛及び色情
谷崎潤一郎
編／山折哲雄

表題作のほかに、自身の恋愛観を述べた「父となりて」「私の初恋」、関東大震災後の都市復興について書いた「東京をおもう」など、谷崎の女性観や美意識について述べた随筆を厳選。解説／編・山折哲雄

角川ソフィア文庫ベストセラー

美しい日本の私
川端康成

ノーベル賞授賞式に羽織袴で登場した川端康成は、古典文学や芸術を紹介しながら日本の死生観を述べ、聴衆の深い感銘を誘った。その表題作を中心に、今、日本をとらえなおすための傑作随筆を厳選収録。

人生論ノート 他二篇
三木清

ひとは軽蔑されたと感じたとき最もよく怒る。だから自信のある者はあまり怒らない（「怒りについて」）。深い教養と思索から生みだされた言葉の数々は、いまなお心に響く。『語られざる哲学』『幼き者の為に』所収。

改訂新版 ものの見方について
笠信太郎

イギリス人は歩きながら考える。フランス人は考えた後で走りだす。そしてスペイン人は、走ってしまった後で考える——。滞欧新聞特派員の体験を元に、憂国の感慨と熱情で書かれた、戦後日本のベストセラー。

新編 日本の面影
ラフカディオ・ハーン
池田雅之＝訳

日本の人びとと風物を印象的に描いたハーンの代表作『知られぬ日本の面影』を新編集。「神々の国の首都」「日本人の微笑」ほか、アニミスティックな文学世界や世界観、日本への想いを伝える一一編を新訳収録。

新編 日本の面影 II
ラフカディオ・ハーン
池田雅之＝訳

代表作『知られぬ日本の面影』を新編集する、詩情豊かな新訳第二弾。「鎌倉・江ノ島詣で」「八重垣神社」「美保関にて」「二つの珍しい祭日」ほか、ハーンの描く、失われゆく美しい日本の姿を感じる一〇編。

角川ソフィア文庫ベストセラー

小泉八雲東大講義録
日本文学の未来のために

ラフカディオ・ハーン
編訳／池田雅之

まだ西洋が遠い存在だった明治期、学生たちに深い感銘を与えた最終講義を含む名講義16篇。ハーン文学を貫く内なるghostlyな世界観を披歴しながら、一期一会的な緊張感に包まれた奇跡のレクチャー・ライブ。

新版 遠野物語
付・遠野物語拾遺

柳田国男

雪女や河童の話、正月行事や狼たちの生態――。遠野郷（岩手県）には、怪異や伝説、古くからの習俗が、なぜかたくさん眠っていた。日本の原風景を描く日本民俗学の金字塔。年譜・索引・地図付き。

雪国の春
柳田国男が歩いた東北

柳田国男

名作『遠野物語』を刊行した一〇年後、柳田は二ヶ月をかけて東北を訪ね歩いた。その旅行記「豆手帖から」をはじめ、「雪国の春」「東北文学の研究」など、日本民俗学の視点から東北を深く考察した文化論。

新訂 妖怪談義

柳田国男
校注／小松和彦

柳田国男が、日本の各地を渡り歩き見聞した怪異伝承を集め、編纂した妖怪入門書。現代の妖怪研究の第一人者が最新の研究成果を活かし、引用文の原典に当たり、詳細な注と解説を入れた決定版。

一目小僧その他

柳田国男

日本全国に広く伝承されている「一目小僧」「橋姫」「物言う魚」「ダイダラ坊」などの伝説を蒐集・整理し、丹念に分析。それぞれの由来と歴史、人々の信仰を辿り、日本人の精神構造を読み解く論考集。

角川ソフィア文庫ベストセラー

山の人生　柳田国男

山で暮らす人々に起こった悲劇や不条理、山の神の嫁入りや神隠しなどの怪奇談、「天狗」や「山男」にまつわる人々の宗教生活などを、実地をもって精細に例証し、透徹した視点で綴る柳田民俗学の代表作。

海上の道　柳田国男

日本民族の祖先たちは、どのような経路を辿ってこの列島に移り住んだのか。表題作のほか、海や琉球にまつわる論考8篇を収載。大胆ともいえる仮説を展開する、柳田国男最晩年の名著。

日本の昔話　柳田国男

「藁しび長者」「狐の恩返し」など日本各地に伝わる昔話106篇を美しい日本語で綴った名著。「むかしむかしあるところに――」からはじまる誰もが聞きなれた昔話の世界に日本人の心の原風景が見えてくる。

日本の伝説　柳田国男

伝説はどのようにして日本に芽生え、育ってきたのか。「咳のおば様」「片目の魚」「山の背くらべ」「伝説と児童」ほか、柳田の貴重な伝説研究の成果をまとめた入門書。名著『日本の昔話』の姉妹編。

日本の祭　柳田国男

古来伝承されてきた神事である祭りの歴史を「祭から祭礼へ」「物忌みと精進」「参詣と参拝」等に分類し解説。近代日本が置き去りにしてきた日本の伝統的な信仰生活を、民俗学の立場から次代を担う若者に説く。

角川ソフィア文庫ベストセラー

桃太郎の誕生
柳田国男

「おじいさんは山へ木をきりに、おばあさんは川に洗濯へ――」。誰もが一度は聞いた桃太郎の話。そこには神話時代の謎が秘められていた。昔話の構造や分布などを科学的に分析し、日本民族固有の信仰を見出す。

昔話と文学
柳田国男

「竹取翁」「花咲爺」「かちかち山」などの有名な昔話（口承文芸）を取り上げ、『今昔物語集』をはじめとする説話文学との相違から、その特徴を考察。丹念な比較で昔話の宗教的起源や文学性を明らかにする。

小さき者の声
柳田国男傑作選
柳田国男

表題作のほか「こども風土記」「母の手毬歌」「野草雑記」「野鳥雑記」「木綿以前の事」の全6作品を一冊に収録！　柳田が終生持ち続けた幼少期の直感やみずみずしい感性、対象への鋭敏な観察眼が伝わる傑作選。

柳田国男　山人論集成
柳田国男
編／大塚英志

独自の習俗や信仰を持っていた「山人」。柳田は彼らに強い関心を持ち、膨大な数の論考を記した。その著作や論文を再構成し、時とともに変容していった柳田の山人論の生成・展開・消滅を大塚英志が探る。

神隠し・隠れ里
柳田国男傑作選
柳田国男
編／大塚英志

自らを神隠しに遭いやすい気質としたロマン主義者であった柳田は、他方では、普通選挙の実現を目指すなど社会変革者でもあった。30もの論考から、その双極性を見通す。唯一無二のアンソロジー。

角川ソフィア文庫ベストセラー

遠野物語 remix
付・遠野物語

京極夏彦
柳田國男

雪女、座敷童衆、オシラサマ――遠野の郷の説話を収めた『遠野物語』。柳田國男のこの名著を京極夏彦が〝リミックス〟。深く読み解き、新たに結ぶ。柳田の原著も併載、読み比べなど、楽しみが広がる決定版！

遠野物語拾遺 retold
付・遠野物語拾遺

京極夏彦
柳田國男

『遠野物語』刊行から二十余年後、柳田のもとには多くの説話が集められた。近代化の波の間で語られた二九九の譚を京極夏彦が新たな感性で紡ぐ。原著もあわせて収載、読み比べも楽しめる。

数学物語 新装版

矢野健太郎

動物には数がわかるのか？　人類の祖先はどのように数を数えていたのか？　バビロニアでの数字誕生からパスカル、ニュートンなど大数学者の功績まで、数学の発展のドラマとその楽しさを伝えるロングセラー。

確率のはなし

矢野健太郎

25人のパーティで同じ誕生日の2人が出会うのは偶然？　それとも必然？　期待値、ドゥ・モルガンの法則、パスカルの三角形といった数学の基本へ。世界的数学者が、実例を挙げてやさしく誘う確率論の基本。

空気の発見

三宅泰雄

空気に重さがあることが発見されて以来、様々な気体の種類や特性が分かってきた。空はなぜ青いのか、空気中にアンモニアが含まれるのはなぜか――。身近な疑問や発見を解き明かし、科学が楽しくなる名著。

角川ソフィア文庫ベストセラー

読む数学　瀬山士郎

XやYは何を表す？　方程式を解くとはどういうこと？　その意味や目的がわからないまま勉強していた数学の根本的な疑問が氷解！　数の歴史やエピソードとともに、数学の本当の魅力や美しさがわかる。

読む数学　数列の不思議　瀬山士郎

等差数列、等比数列、ファレイ数、フィボナッチ数列ほか個性溢れる例題を多数紹介。入試問題やパズル等も使いながら、抽象世界に潜む驚きの法則性と数学の「手触り」を発見する極上の数学読本。

読む数学記号　瀬山士郎

記号の読み・意味・使い方を初歩から解説。小学校で習う「1・2・3」から始めて、中学・高校・大学初年レベルへとステップアップする。数学はもっと面白く身近になる！　学び直しにも最適な入門読本。

読むトポロジー　瀬山士郎

一筆書き、メビウスの帯、クライン管、ポアンカレ予想などの例をもちいて、興味深い図版を豊富に駆使しつつ、幾何学の不思議な形の世界へと案内する。数学的直観を刺激し、パズル感覚で読める格好の入門書。

とんでもなく役に立つ数学　西成活裕

〝渋滞学〟で著名な東大教授が、高校生たちとの対話を通して数学の楽しさを紹介していく。通勤ラッシュや宇宙ゴミ、犯人さがしなど、身近なところや意外なシーンでの活躍に、数学のイメージも一新！